人文始祖伏羲氏
（甘肃天水伏羲先天殿明代伏羲塑像）

女娲塑像

龚智勇◎著

开天辟地

伏 魔 济 世

第三部

广西人民出版社

图书在版编目（CIP）数据

开天辟地·伏魔济世/龚智勇著.—南宁：广西人民
出版社，2005.4
ISBN 7-219-05310-X

Ⅰ.开… Ⅱ.龚… Ⅲ.长篇小说-中国-当代
Ⅳ.I247.5

中国版本图书馆CIP数据核字（2005）第030718号

策　　划：彭庆国
责任编辑：李　洁　　郑　洁
特约编辑：曦　若
美术编辑：彭　鹤

开天辟地·伏魔济世
KAITIAN PIDI·FUMO JISHI
第三部
龚智勇 著
广西人民出版社出版发行　　广州金羊彩印有限公司印刷
（邮政编码：530028 南宁市桂春路6号）
890毫米×1230毫米 1/32　　8 印张　170 千字
2005年6月第1版　　2005年6月第1次印刷

ISBN 7-219-05310-X/I·820　　　　定价：18.00元

人类毁灭之初，由于王母娘娘加罪母黄龙，将她打入人间，母黄龙摔在汪洋中的一座山头上，并产下女儿华胥。王母娘娘得知母黄龙未死，又给人间施以酷热，想灭绝人种。为挽救华族，母黄龙嘱咐女儿前去遥远的雷泽湖，请雷神前来布雨，消除热难。年少而又美丽的华胥姑娘告别母亲和众乡亲，踏上了险恶的路途。当她经历千辛万苦找到雷神时，两人结下了一段孽缘，并生下了伏羲。虽然雷神布雨解除了人间的热难，但一场更大的人间劫难又将来临。玉皇大帝尽管算出人类劫难在所难免，却不知道这是由于他的一次酗酒所致。华胥生下女娲之后，雷神和华胥相继归天。伏羲和女娲兄妹在小龙女的帮助下，粉碎了东海龙王的阴谋，终于在太阳升起的地方相见。不料一场大洪水之后，人间只剩下他们两人。于是，繁衍人类的重任落在了他们兄妹俩的身上。一个兄妹结发的美丽爱情故事也由此产生并流传后世。

在普度天神的指引下，女娲和伏羲学会了用泥土造人。于是，人间又有了人。为了生存，伏羲发明了用网捕鱼，但龙王为此大为震怒，命镇海将军小孽龙多次作恶，并由此加深了彼此的怨恨。布谷仙女从天上盗来五谷帮助人类，由于耽误了返回天庭的时间，从此变成了布谷鸟。为保护生长的粮食，伏羲和子孙们与小孽龙展开殊死搏斗，伏羲在搏斗中不幸中毒，双目失明。为报答伏羲兄妹的恩情，玫瑰仙女化作心花，用以治好伏羲的眼睛。但黄龙氏和弟弟白龙氏，在前往天山瑶池寻找仙女心花的途中又遭遇了小孽龙和妖魔鬼怪的重重劫杀。

一波未平一波又起，孩子们的尿臊味惹怒了玉皇大帝，一场大瘟疫又降临人间。小孽龙本来是要阻止宓妃采药，却无意中造成了灵芝仙女惨死。灵芝仙女的意中人二郎神迁怒东海龙王，于是挥鞭赶山，要填平东海，并由此引发了诸神争斗。水神共工和火神祝融恶斗，将顶天柱不周山撞倒，天塌地裂。女娲炼石补天，加上小孽龙重重阻挠，终于劳累过度，倒在了补天台上。伏羲为了解宇宙奥秘，造福人类，整日面对山川、星辰，呕心思考。突然一声炸响，渭河对岸的龙马山豁然中开，但见龙马振翼飞出，悠悠然顺河而下，直落渭河中流分心石上，通体卦爻分明，闪闪发光。分心石亦幻化成为立体太极，阴阳缠绕，光辉四射。伏羲极为震撼，太极八卦图深深印入了他的脑海，并由此创画了八卦。伏羲由于劳累过度，生命垂危。女儿宓妃赴洛河盗取还魂草，却不幸被妖怪害死。也许是天数已定，在殚精竭虑、呕心沥血创画八卦后，人文始祖伏羲终于归天。

伏羲和女娲的创世故事，情节曲折离奇，跌宕起伏。人、神、妖魔百态，尽皆跃然纸上，栩栩如生。善恶美丑经纬分明。特别是故事中隐含的趣味性和知识性更是使人爱不释手。

小说共分为三部，即《开天辟地——劫难降世》、《开天辟地——兄妹创世》和《开天辟地——伏魔济世》。它的出版，不仅使关于伏羲和女娲美丽动人的故事得以拓展和完善，而且还可以让我们大致了解我们华夏祖先的历史和文化。而且，在我们编辑这部书稿的时候还得知，这部作品已被改编成同名三十集电视连续剧，不久将与观众见面。在此，我们期待这部作品也能像《聊斋》和《西游记》一样成为经典，受到人们的喜爱，并随着伏羲和女娲的美丽故事一直流传下去。

编　者

2005. 4. 15

目录

第一章 龟镇神山

乘虚偷钓

伏魔济世

开天辟地

渤海岸边。夜。

小孽龙变作仙翁，在海边垂钓。

他施展法术，将鱼钩垂入岱屿神山的山底。

神龟伸着脖子，见一道金光朝自己眼前射来，急忙张口将它咬住。

突然，神龟痛得"嗷"地叫了一声。

金钩将它牢牢钩住。

神龟痛苦地摇晃着脑袋。

岱屿神山剧烈地摇晃起来。

众神仙在山上正逍遥自在，突然大惊失色："这山怎么又摇晃起来了？"

小孽龙见神龟上钩，窃喜，使劲拽着鱼竿往回拉。

神龟被小孽龙的鱼钩拽上海岸。

它恶狠狠地瞪着小孽龙，口里鲜血淋漓。

小孽龙阴笑着将神龟放在一旁，吹了一口黑气。

一股黑雾将神龟笼罩住。

神龟顿时动弹不得。

小孽龙拿起鱼竿，又朝员峤神山抛去。

神龟见一道白光袭来，头一偏，没有被钩着。

小孽龙拉了拉钩，见神龟没有上钩，又张开嘴，一口气吹去，金钩裹着食物，直朝神龟口中射去。

神龟不知何物，猛地张开大嘴，将金钩吞进嘴里。

金钩钩住了神龟的喉咙。

神龟痛得身子左右摇摆。

员峤神山剧烈地晃动起来。

神山上的神仙们都惊恐万状，"神龟镇住了山，山怎么又摇晃起来了？"

众神仙跑向临海栏杆。

只见一个垂钓的老头正拿着鱼竿钓起一只神龟。

众神仙气得大喊大叫："喂，老头！这神龟你不能钓！""这是给我们镇山的！""赶快将那两只神龟给放了！""你再钓我们可对你不客气了！"……

几个神仙从神山上飞向岸边，朝小孽龙扑来。

小孽龙见神仙们发现了他，惊慌失措地将两只神龟提在手里，猛地朝两座神山吹去一口黑气。

两座神山飞速地朝深海漂去。

海面上狂风大作，巨浪滔天，两座神山剧烈地摇晃着。

几个神仙朝小孽龙追来。

小孽龙化作一股黑烟，乘着夜色逃遁了。

神仙们四处搜索，不见了小孽龙的踪影。

神仙们惊慌失措地飞上空中。

岱屿和员峤两座神山顿时倾倒，沉入海底。

神仙们在空中捶胸顿足，大放悲声……

神仙甲："我们住的地方没了，这以后可怎么过啊！"

神仙乙："这是何方妖怪，竟然这般恶毒！"

神仙丙："这妖怪竟敢将两座神山毁于一旦！"

神仙丁："抓住他，要将他千刀万剐！"

神仙戊："走，我们上天庭禀告玉帝去！"

……

众神仙怒不可遏，驾起祥云，朝南天门飞去……

（五座神山沉没了岱屿、员峤两座，剩下的蓬莱、方壶和瀛洲至今仍由神龟顶着。）

天庭。

众神仙疾步走进灵霄宝殿。

玉皇大帝端坐在宝座上，见众神仙神色慌张走进大殿，惊问道："你们何事如此慌张？"

神仙甲："玉帝，不好了，我们的神山沉没了两座！"

玉皇大帝大惊，"伏羲难道没有将神山镇住吗？"

神仙乙："伏羲倒是将五座神山镇住了，可是，等他走了之后，一个老头偷偷钓走了两只神龟。"

玉皇大帝奇怪地说："即使是钓走了神龟，那神山也不至于沉入海底呀。"

神仙丙："那老头钓起两只神龟后，又猛吹了一口黑气，将两座神山吹倒在海中，神山顿时沉没了！"

神仙丁："幸亏我们逃得快，不然，我们也掉到海里去了！"

　　玉皇大帝大怒，"千里眼、顺风耳，你们速去查明，到底是何方妖孽所为？"

　　千里眼和顺风耳领命，匆匆离去。

　　神仙甲："玉帝，如今我们没有去处了，这可如何是好啊？"

　　众神仙纷纷附和："是啊，这可怎么办啊？"……

　　玉皇大帝想了想，"这样吧，你们就住在天庭好了！"

　　众神仙纷纷拱手谢恩。

　　玉皇大帝："禺强听令！"

　　海神禺强出列，拱手道："小神在！"

　　玉皇大帝："你速速派兵下界，日夜守护蓬莱、方壶和瀛洲三座神山，不得再让妖怪钓去那三只镇山的神龟！"

　　禺强："遵旨！"

　　玉皇大帝严厉地说："如有差错，我拿你是问！"

　　"是！"禺强急忙领命出殿而去。

　　空中。

　　千里眼和顺风耳出了南天门，朝渤海飞去。

　　小孽龙在泰山无底洞口，忽见千里眼和顺风耳出现在空中，吓得一动不动。

　　千里眼和顺风耳运用神力，四处查看，侧耳倾听，没有任何异动。

　　千里眼："这就怪了，怎么没有看到那老头呢？"

　　顺风耳："是啊，我也没有听到什么异样的动静！"

　　千里眼："那我们到别处再看看！"

　　顺风耳："好吧！"

　　千里眼和顺风耳驾着祥云，朝远处飞去。

无底洞内。

小孽龙吓得出了一身冷汗。

他看着千里眼和顺风耳离去，阴笑道："哼，原来你们的法力也会失灵！"

空中。

千里眼和顺风耳在空中到处查看了一遍，一无所获，回天庭向玉皇大帝复命去了。

无底洞内。

小孽龙见千里眼和顺风耳走了，急忙蹿出无底洞，朝东海龙宫飞去。

东海龙宫内。

小孽龙分开水路，直朝龙宫而来。

宫女彩霞见小孽龙慌张地直奔龙宫，急忙闪身到假山旁。

东海龙王正在看着蚌女翩翩起舞，品着珍馐。

小孽龙急匆匆地走了进来。

龙王吓了一跳，急忙喝退跳舞的蚌女。

彩霞悄悄地来到宫殿外，仔细偷听着。

龙王紧张地问道："小孽龙，你怎么偷逃出来了？"

小孽龙："镇妖神没有将我锁紧，我随时都可以出来！"

龙王："你可要小心了，若被玉帝知道了，你的罪可大了！"

小孽龙："这我知道！"

龙王："快说，你来有何事禀告？"

小孽龙炫耀地说："龙王，我将岱屿和员峤两座神山给沉到海底去了！"

龙王大吃一惊："你是如何将这两座神山沉下去的？"

小孽龙得意地说："伏羲和女娲将五只神龟镇在山底，我钓出了两只，正想再钓，被那帮神仙发现，所以我使用法力，将那两座神山给吹倒在海里了！"

龙王："他们没有看出你来吧？"

小孽龙："没有，我变成一个老头，他们追来，我就跑了！"

龙王："没有发现就好，以后你可要小心了！这事玉帝还会再查的，那帮神仙也不会善罢甘休！"

小孽龙点着头，"我会小心的！"他眼珠滴溜溜转了一下，轻声说道："龙王，是不是把那另外三座神山的神龟也给钓了？"

龙王踱着步，背着手，想了想，"玉帝既然让伏羲去镇山，那我们何不……"说着，做了个刀劈的动作。

小孽龙心领神会，"龙王，你放心吧，这事包在我身上了！"

龙王阴笑道："看伏羲怎么去向玉帝交差！"

小孽龙："哼，我要让他交不了差！"

龙王："小孽龙，你可千万要小心谨慎，不要被任何人发现！"

小孽龙："是，我明白！"

龙王："小孽龙，你这事如果干得好，我会想法让你重回龙宫的！"

小孽龙高兴地说："龙王，我一定会让你满意的！"

龙王欣慰地点点头，"你去吧！"

小孽龙："龙王，我走了。"

龙王："你一路小心点！"

小孽龙应声："是！"然后朝殿外走去。

彩霞急忙闪身离开，朝水面飞去。

小孽龙出了龙宫，见水势异样，急忙追赶。

彩霞朝宛丘上空飞去。

她见小孽龙追来，拼命地加快速度，她要将此事告知伏羲。

小孽龙追出海面，远远地见是彩霞，大声喝道："大胆贱人，竟敢偷逃出宫！"

他怕事情败露，使出浑身解数，吹出一股黑雾将彩霞团团裹住，并飞速将她带回东海龙宫。

他押着彩霞走进龙宫，将她掷在龙王面前。

龙王见是侍女彩霞，不解地问小孽龙："你为何去而又返，还将这侍女带来我面前？"

小孽龙恶狠狠地说："这侍女刚才偷听我们说话，还偷偷出宫去向伏羲报信，被我发现，就把她抓来了。"

龙王怒声喝问："大胆贱人，竟敢吃里扒外，来呀！给我先把她关起来！"

小孽龙："请龙王务必将她处死，不然的话，消息传出，后果不堪设想。"

龙王点点头，"你去吧，这里的事我会处理！"

小孽龙向龙王一拱手，"龙王，那我走了！"说完，急急出了龙宫，奔出海面，朝泰山无底洞飞去。

宛丘湖畔。傍晚。

伏羲和女娲携手在湖边漫步。

女娲抚摸着自己隆起的肚子，幸福地对伏羲说道："哥哥，这肚子里的孩子不知是男是女？"

伏羲高兴地说："妹妹，你想生男还是生女？"

女娲："我想生个女儿！"

伏羲："那我们就生个女儿吧，生出来像你一样漂亮！"

女娲："那如果是男孩呢？"

伏羲："是男孩就长得像我一样高大！"

女娲点了点伏羲的鼻子，笑道："这生男生女之事，可由不得我！"

伏羲揽着女娲的腰，"你生啥我都高兴！"

两人站在湖边，女娲幸福地将头轻轻地靠在伏羲的肩上。

女娲："以前是用泥土造人，繁衍了我们这么多子孙后代，让他们成婚，生儿育女，让我们的华族不断地繁衍，现在用不着我们再用泥土造人了。"

伏羲："是啊！用泥土造人，真是太辛苦了！花去了你多少的心血啊！"

女娲："你不也一样！"

伏羲高兴地说："现在你也有孕了，又有了另外一种生儿育女的感受。"

女娲："是啊，这种感觉真的不一样，我时时摸着隆起的肚子，想像着孩子出生的模样，心里就特别地高兴！"

伏羲："很快，你又要当娘了！"

女娲："真想马上就生下来。"

伏羲微笑着，深情地抚摸着女娲的秀发。

一阵微风吹来，吹拂着湖边的杨柳。

阵阵花香飘来，两人陶醉在这湖光山色的美景之中。

良久，伏羲轻轻地对女娲说道："妹妹，回去歇息吧，可不要累着了！"

女娲点了点头，携着伏羲慢慢朝洞穴走去。

洞穴内。

伏羲扶女娲躺下，两人又躺着说了很久的话。

女娲靠在伏羲的臂弯里睡着了。

伏羲凝视着女娲秀美的脸庞，良久，轻轻地将她的头放在一边，悄悄地起身，走出洞外。

伏羲朝湖边慢慢走来。

一弯月牙升起在宛丘湖的上空。

四周一片静谧。

伏羲躺在草地上，仔细地看着空中的一弯月牙在云层中慢慢地穿行。

他目不转睛地看着，思索着，思绪飞向了远方……

这月亮为什么时圆时缺，时升时落；为什么太阳从东方升起，又从西方落下，而太阳落山的时候，月亮又升起来了，星星也一眨一眨地出现在天际；为什么天空有时繁星满天，有时又夜幕沉沉，漆黑一片；为什么月亮会柔和，太阳却有时温暖，有时似火；为什么有些日子烈日炎炎，有些日子却寒风刺骨，大雪纷飞……

他又想到了自然界的万物，为什么树木花草有些日子繁花似锦，树木翁郁，有些日子却枯萎凋零，一片萧条……

伏羲苦苦地思索着，不解其中的奥妙。他暗自下定决心，一定要找出这些变化的原因，为子孙后代造福。

天渐渐地亮了。

湖边林中的鸟儿欢快地鸣叫着，它们在树枝上飞来飞去，追逐着，嬉闹着。

伏羲被鸟儿欢快的叫声吸引，慢慢朝林中走去。

林中。

伏羲信步来到树下，看着枝头飞来飞去的唧啾叫的鸟儿。

伏羲高兴地用嘴学着鸟儿鸣叫的声音。

欢快的鸟儿朝伏羲回应着。

伏羲越发高兴，更加使劲地发出鸟叫的声音。

突然，伏羲发现一只鸟儿将一片树叶衔在嘴里，看着伏羲。

伏羲也随手摘下一片树叶，放在唇边。

突然，树叶在伏羲的嘴里发出一阵悦耳的声音。

一大群鸟儿从林中飞落到伏羲的面前，一起朝着他鸣叫起来。

伏羲高兴极了，衔着树叶，和着鸟儿的鸣叫声，不停地吹了起来。

早起的儿孙们听到林中一片鸣叫声，纷纷好奇地跑进树林，见伏羲和一群鸟儿在那里欢快地合奏，惊奇地问伏羲："爷爷，你这是吹的什么啊？""这声音真好听！"……

伏羲笑着对儿孙们说道："你们也摘片树叶放在口里吹吹试试！"

众儿孙欢呼着纷纷从树上摘下树叶来，学着伏羲的样子，放在唇边吹了起来。

果然，悦耳的声音陆续从他们的嘴里发了出来。

从远处飞来一群一群的鸟儿，落在林中，跟他们对鸣起来。

整个树林顿时成了一片鸟的世界。

伏羲说道："孩子们，有空的时候，你们就多吹吹，这声音让人心情很愉快！"

众儿孙高兴地说："那我们就天天吹了！"说着，又使劲吹了起来。

一个儿孙顺手摘了一片竹叶放在唇边，他吹出的响声比别人吹得更好听。

伏羲惊喜地看着，也摘下一片竹叶，放在唇边吹，果然，比用树叶吹出的声音更加悦耳动听。

他对儿孙们说道："你们再试试这竹叶！"

众儿孙又纷纷用竹叶试吹起来，更加悦耳动听的声音阵阵传出。

伏羲喜悦地听着，看着，他朝竹子看了看，心想，这竹叶能吹出这么好听的声音，那竹子呢，是不是也能吹出好听的声音？

伏羲想到这里，顺手掐断了一根细小的竹子，拿着空竹管的一头吹了吹，没有声响，又拿过另一头吹了吹，也没有声响。他突然看见竹管中间有几个被虫子咬的洞，不经意地用手指按住了一个洞，又对着竹管的一头使劲吹起来，从竹管中突然发出了悦耳的声音。

伏羲惊喜极了。他又用手指按住另一个小洞，声音变了，按住不同的小洞，都有不同的声音。

儿孙们在旁边看着，欢呼起来。

麒麟和凤凰也被这声音吸引而来，落在伏羲面前。

一大群鸟儿也飞落在枝头，惊奇地看着伏羲。

伏羲不停地吹着。

凤凰在他面前翩翩起舞。

几只孔雀从林中走来，和凤凰一起舞蹈。

众人也兴奋地一起学着凤凰和孔雀的动作，跳了起来。

伏羲不停地吹着。

众人疯狂地跳着。

欢笑声在林中久久地回荡着……

（伏羲发明竹笛、笙、箫以后，又陆续发明了陶埙、琴、瑟等乐器。他还发明了乐曲、歌谣、舞蹈，将音乐带入了人们的生活。）

伏羲想到这里，顺手掐断了一根细小的竹子，拿着空竹管的一头吹了吹，没有声响，又拿过另一头吹了吹，也没有声响。他突然看见竹管中间有几个被虫子咬的洞，不经意地用手指按住了一个洞，又对着竹管的一头使劲吹起来，从竹管中突然发出了悦耳的声音。

海边。夜。

小孽龙蹿出无底洞，又变作一个英俊的后生，朝蓬莱、方壶、瀛洲三座神山飞来。

禺强派的天兵在三座神山周围警惕地巡视着。

小孽龙偷偷来到海边，见状，不敢靠近，他眼珠转了转，悄悄地朝一座礁石走去。

他躲在礁石后，变出鱼竿，将鱼钩放了下去。

一道金光直射海底。

一个天兵见一道金光在水中一闪，大叫一声："妖怪来了！"

众天兵朝礁石包抄过来。

小孽龙一见，来不及钓龟，丢下鱼竿，仓皇化作一股黑烟，腾空而去。

天兵纷纷大叫："妖怪，哪里逃？"全都腾空而起，朝小孽龙追去。

小孽龙见势不妙，借着夜色，猛地从空中俯冲而下，窜入海里，不见了。

几个天兵在空中搜寻了一会，没有见到妖怪的踪影，只得悻悻返回。

神仙们都被喊叫声惊醒，纷纷问道："那妖怪捉住了吗？"

一个天兵回答："又让他跑了！"

禺强飞落在天兵面前，严厉地说："你们要看管好了神山，不能让妖怪得逞，若出了事，我拿你们是问！"

众天兵："是！"

禺强对众神仙说道："各位神仙，你们请歇息去吧，这里有天兵把守着，放心好了！"

众神仙才放心地回去歇息了。

宛丘湖边。

伏羲和众变成一儿孙在湖边捕鱼。

伏羲刚网住一网鱼，放到岸上。

只听不远处的洞穴里，一阵婴儿的啼哭声传来。

一个女子惊喜地从洞内跑出来，高兴地叫道："生了，生了，孩子生下来了！"

伏羲一听，高兴地将渔网丢在岸上，跑向洞穴。

洞穴内。

女娲虚弱地躺在草地上，慈爱地看着身旁的婴儿，脸上洋溢着幸福的笑容。

伏羲兴冲冲地跑进洞穴，"妹妹，让我看看孩子！"说着，弯腰将婴儿轻轻抱起，在她粉嫩的脸上亲了一下。

女娲幸福地看着伏羲和孩子，说道："我给你生了一个女儿！"

伏羲高兴地说："女儿，好啊！"

他仔细地看着女婴粉扑扑的脸蛋，笑着说："孩子长的真像你！"

女娲："你给孩子起个名吧！"

伏羲想了想，说道："女儿生下来安静不闹，就叫宓妃吧。"

女娲："宓妃？嗯，这个名字好，那就叫宓妃吧！"

女娲亲了亲女婴的脸蛋，笑道："孩子，以后你就叫宓妃了！"

女婴朝女娲露出了甜甜的笑容。

伏羲兴冲冲地跑进洞穴，"妹妹，让我看看孩子！"说着，弯腰将婴儿轻轻抱起，在她粉嫩的脸上亲了一下。

女娲幸福地看着伏羲和孩子，说道："我给你生了一个女儿！"

伏羲高兴地说："女儿，好啊！"

伏羲高兴地将女婴高高举起，转了几圈。

小宓妃也"格格"地笑了起来……

林中。晨。

鸟儿欢叫着。

伏羲在林中漫步。

他抬头望去，见一些小鸟衔着食物飞进树梢上的鸟巢。

它们不停地飞进飞出，叽叽喳喳地欢闹着。

有一只鸟儿在给一只雏鸟喂食。

旁边的树杈上，几只鸟儿从别的地方衔着树枝飞来，共同搭筑着鸟巢，它们忙碌地飞来飞去。不久，一个硕大的鸟巢就筑好了。

伏羲惊喜地看着。突然，一个念头在他脑子里一闪，天下的儿孙们不断地增多，自从推行了婚姻嫁娶制度，儿孙们一家人需要单独地住在一块，而且他们还要生儿育女，不断地繁衍，住的地方成了一个大问题。原先这些儿孙们全都住在洞穴里，拥挤不堪，有的为了争夺洞穴，闹出人命。这下可好了，何不学鸟儿的办法，让他们砍些树枝柴草之类的东西，在空地上搭建一些茅草屋，这不就解决住的问题了吗？想到这里，他兴冲冲地跑出树林，来到洞穴前，大声叫道："孩子们，都出来！"

黄龙氏和众儿孙纷纷从洞穴里走了出来。

黄龙氏："爹爹，何事唤我们出来？"

伏羲："你们对现在住的地方满意吗？"

众人纷纷道："不满意！""太挤了！"……

伏羲："我告诉你们一个好办法。你们去砍些柴草，像鸟儿那样搭建茅屋，这样不就解决大问题了吗？"

黄龙氏高兴地说："哎呀，我们原先怎么就没想到这一点

呢？这个办法真是太好了！"

众儿孙也纷纷叫道："好，那我们现在就去砍吧！"

黄龙氏率领着儿孙们兴高采烈地拿着石板斧朝山上走去。

众人拖的拖，扛的扛，不一会儿，弄来很多树枝和柴草。

伏羲指挥着大家，开始搭建茅屋。

黄龙氏和儿孙们起劲地忙碌着，嘴里还哼着小曲。

一座座茅屋搭建起来了。

众人欢呼着拥进茅屋，东瞧瞧，西看看，高兴地大叫着："现在可好了，我们不用住洞穴了！""住在这里既光亮，又方便！""我们再去砍些树枝来，多建些茅屋！"……

黄龙氏动员所有的儿女去山上砍柴草。

众人兴高采烈地从山上砍来树枝和柴草，有些儿孙就地就开始搭建茅屋。

山上山下，一座座茅屋搭起来了。

黄龙氏对大家说道："茅屋建起来了，我们也要给爷爷、奶奶建一个漂亮的茅屋，你们说好不好？"

众人齐声欢呼："好！好！"……

黄龙氏："那大家赶快砍些柴草，拿到湖边去！"

众人答应一声，欢叫着离去，不一会儿，砍了一大堆柴草，往湖边扛去。

女娲抱着宓妃来到湖边。

伏羲高兴地走到女娲跟前，逗着孩子，对女娲说道："看，这是我们的茅屋！"

女娲高兴地看着："这可太好了！"

众人纷纷说道："奶奶，我们在给你和爷爷建茅屋呢！"

女娲："孩子们，辛苦了，大家歇会儿吧！"

众人："我们不累！"

伏羲对女娲说道:"现在好了!我们也可以不住洞穴了。"

众人七手八脚地忙着。不一会儿,就建起了一座高大的茅屋。

黄龙氏走过来,对伏羲和女娲说道:"爹娘,茅屋搭好了,你们看看怎么样?"

伏羲和女娲笑呵呵地走进茅屋。

伏羲连连点头,"孩子们,辛苦你们了!"

黄龙氏:"今晚就可以住进来了!"

女娲高兴地说:"真是太好了!"

三人出了茅屋。

众儿孙还在快乐地忙碌着。

伏羲大声对众人说道:"儿孙们,大家住进了茅屋,今晚我们好好庆贺庆贺!"

众人高兴地欢呼:"好!好!好!"

宛丘湖畔。晚上。

众人围坐在篝火旁,高兴地吃着,唱着,跳着,吹着竹笛、笙和箫。

孩子们在大人周围嬉闹着……

伏羲和女娲高兴地同孩子们欢聚在一起。

(自从伏羲定了嫁娶制度后,人类迅速繁衍起来,住的地方不断扩展,他发明了用茅草和树枝搭屋,让人类从洞穴中走了出来。)

湖边。茅屋前。

宓妃已长成了一个十五六岁的漂亮的大姑娘。她从林中采了一篮桑叶,挎着竹篮往湖边走来。

　　女娲从茅屋内走了出来，双手端着一只筐箩，上前放满了桑叶，一些白白胖胖的蚕在上面蠕动着，"沙沙"地吃着蚕叶。

　　伏羲从茅屋内走出来，见女娲忙着养蚕，也凑近来笑着说道："妹妹，这些蚕被你养得白白胖胖的，真可爱！"

　　女娲高兴地说："自从养了这蚕后，大家都有衣服穿了。"

　　伏羲："这都是你的功劳！"

　　女娲："没有衣服穿时，看见天上的神仙和仙女，个个穿得那么漂亮，非常羡慕，如今可好了，我们用桑麻和蚕丝织的衣服，穿起来可舒服了，冬天也不冷了！"

　　伏羲："不知天下的儿孙们都学会了没有？"

　　女娲："我已将养蚕织衣的方法全都告诉了孩子们，你放心吧！"

　　宓妃远远地走来，对伏羲和女娲大声说道："爹娘，我摘回来了好多桑叶！"

　　女娲："知道了！"

　　伏羲看着女儿走来，对女娲说道："宓妃这孩子真懂事，能帮你不少忙呢！"

　　女娲幸福地说："可不是嘛！生个女儿真好！"

　　宓妃挎着篮子欢快地走来，叫了一声："爹！娘！"

　　伏羲慈爱地看着女儿，"宓妃，你怎么一个人到林中去了，不多叫上几个伴？这林中时有野兽出没，你要小心一些！"

　　宓妃笑道："爹爹，这树林就靠着家门，怕什么？有什么动静，我在林中一叫，大家不都听见了吗？"

　　女娲："你可要听爹爹的话，少一个人上山。"

　　宓妃将竹篮放下，来到女娲跟前，"娘，你要我帮忙做什么？"

　　女娲："这桑蚕这么多，你帮我将蚕吃剩的桑叶换些新的

吧。"

宓妃答应一声，把竹篮里的桑叶拿在手上，仔细地换着。

这时，一群孩子跑来，叫喊着："宓妃姐姐，带我们去玩！"

宓妃："你们先去吧，我现在忙着呢！"

女娲："宓妃，你带着他们去玩吧，这里有我呢！"

宓妃高兴地说："那我走了！"说着，领着孩子们在湖边玩了起来。

伏羲和女娲高兴地看着孩子们快乐地嬉戏，由衷地笑了……

灵霄宝殿。

玉皇大帝端坐在宝座上，和众天神议事。

海神禺强匆匆走进灵霄宝殿，拱手道："玉帝，那妖怪又在神山出现了！"

玉皇大帝："抓到了没有？"

禺强："他化作一股黑烟朝水里逃去了。"

玉皇大帝："你们为何不将他擒住？"

禺强："那怪物跑得快，眨眼就不见了！"

玉皇大帝唤道："共工！"

水神共工上前，拱手道："小神在！"

玉皇大帝："那妖怪跑到水里去了，你是水神，统管天上和凡间的水，你和禺强速去查明这妖怪到底从何而来。不得有误！"

共工："是，小神即刻就去！"说着，和禺强匆匆出殿而去。

渤海。

共工和禺强飞临渤海岸边。

禺强恭敬地对共工说道:"妖怪就是从这里逃走的!"

共工:"走,随我到水里去看看!"

两人分开水路,直入水底。

他们搜索着,来到了东海龙宫。

禺强:"我们来到了龙王的府第,是不是要去拜会一下?"

共工点点头,"好吧!"说着,和禺强走进龙宫。

龙王正在后花园散步。

一个侍女匆匆来报:"龙王,天上两位神仙来了!"

龙王:"在哪?"

侍女:"正在大殿里候着!"

龙王快步朝大殿走去,他走进殿内,见是共工和禺强,笑呵呵地迎上前去,说道:"大驾光临,有失远迎,不知什么风将两位神仙吹到我这里来了?"

共工:"龙王,我奉玉帝旨意,来查妖怪!"

龙王:"哦?什么妖怪?"

禺强:"那个妖怪第一次化作一个老头,钓去两只神龟,让两座神山沉掉了。这一次又化作一股黑烟,窜入水里不见了。玉帝命我们速速查明是何方妖怪!"

龙王顿时明白了是小孽龙所为,不动声色地说:"原来二位是为了这钓龟之妖而来,查到了没有?"

共工:"我们刚才搜索了一遍,尚未查到。龙王,你见到东海有什么异样吗?"

龙王摇摇头,"这东海之大,即使有异样也未必察觉。"

共工:"龙王,你若发现妖怪,请告知我们。"

龙王:"那是自然,一旦发现,我即刻告之!"

共工:"那就先谢过了!"

　　禺强："龙王，我们走了！"

　　龙王："二位不坐坐再走？"

　　共工："不了，我们还要到别处看看！"说着，和禺强起身。

　　龙王："那就恕不远送了！"

　　共工和禺强飞身出了东海，一路巡视着。

　　泰山无底洞。夜。

　　小孽龙又悄悄出洞，化成一团黑烟，来到神山前。

　　几个天兵在海边巡查着。

　　小孽龙变作一个老头，左右看了看，见没人注意他，迅速拿出鱼竿，将鱼钩抛入海中。

　　鱼钩直入海底，朝山底的神龟口中射去。

　　神龟见一道金光射来，急忙将头扭向一边，将身子移动了一下。

　　这一移动使整座神山轻轻摇动了几下。

　　几个天兵突然发现神山摇动了几下，大叫一声："不好，妖怪来了！"

　　这时，正巡查归来的共工和禺听见叫声，急忙飞奔而来。

　　众人只见一个垂钓的老头吓得腾空而起，化作一团黑烟，朝远处窜去。

　　共工用手一指，"妖怪跑了，快追！"

　　共工和禺强急忙腾空而起，朝黑烟奔去。

　　黑烟顿时消失在夜幕中。

　　共工和禺强施展法力，用手一挥，两束金光直射黑烟。

　　黑烟窜入高空，朝天际奔去。

　　共工和禺强朝黑烟两面夹击而去。

小擘龙见状，更加拼命地飞逃。

前面出现了一座火山。

小擘龙眼珠一转，迅速变成一只火狐，朝两人喷出一股股火球。

共工和禺强慌忙躲避。

小擘龙乘此机会，又变成一团黑烟，和浓重的夜色融为一体，顿时消失不见了。

禺强："这火狐居然跑到火山里面去了。"

共工："看来，这妖怪就在这火山里。"

禺强："那我们怎么办，火势这么大，我们根本就无法靠近。"

共工想了想，"这是火神祝融管辖的地方，还是让他来抓这妖怪吧。"

禺强："这样也好，那我们就去向玉帝复命吧！"

共工和禺强朝天庭飞奔而去。

无底洞。

小擘龙惊魂未定，脸上、身上被烧黑了好几个地方。

他痛得龇牙咧嘴，自言自语道："要不是我跑得快，就被烧成灰了！"

灵霄宝殿。

共工和禺强急匆匆地来见玉皇大帝。

玉皇大帝问道："你们查得怎么样了？"

共工拱手道："回玉帝，现已查明，那妖怪是一只火狐，待我们追去时，躲进火山里不见了！"

玉皇大帝："哦？你们可看清楚了？"

禹强："我们都看清楚了。"

玉皇大帝对火神祝融说道："祝融，那火山是属你管辖之内，速将那妖怪擒来！"

祝融上前拱手道："是！"转身离去。

他走出灵霄宝殿，心下暗想，火山中的火狐？这火山上哪来的妖怪呢？

他边想边走出了南天门，驾着祥云，往火山方向飞去。

祝融在火山上盘旋了几圈，见烈焰熊熊，便伸手一掌，一道金光射出，烈焰顿熄。

他走上火山，山上光秃秃的，岩浆还在喷涌着，并无妖怪的踪迹。

祝融生气地说："这火山何来妖怪？怎能隐藏？真是信口雌黄！"说着，朝天庭飞去。

灵霄宝殿。

祝融气哼哼地走进宝殿。

玉皇大帝："你可抓住了那妖怪？"

祝融："我在火山上搜遍了，都未见妖怪的踪迹！"

玉皇大帝："这就怪了！"他转而问共工和禹强："你们是不是看错了？"

共工："绝对没错，就算我看错了，禹强不会看错吧！"

禹强："那火狐确实是钻进了火山不见了！"

玉皇大帝不满地说："祝融，你到底去看清楚了没有？"

祝融："玉帝，我仔细搜查了一遍，根本就没有什么妖怪！"

玉皇大帝："这么说，是他们两个没看清楚了？可他们明明又说看得很清楚！"

祝融："玉帝，你想想，火山上能藏什么东西吗？这不是胡说吗？"

共工恼怒地说："祝融，你这是什么意思？"

祝融："我说的意思，你还不清楚吗？"

共工："那你是说我胡说八道，污蔑你了？"

祝融："我可没这么说！"

共工气愤地说："你给我说清楚点！"

玉皇大帝生气地说："你们都别吵了！你们两个再去看看，是否有妖怪藏匿在那里，速来复命！"

两人齐声："是！"转身朝殿外走去。

共工走在前面，朝祝融瞪了一眼。

祝融气哼哼地也瞪了他一眼。

两人走出灵霄宝殿，朝南天门走去。

祝融怒气冲冲地说："共工，我平日对你不差，你为何要在玉帝面前陷害我？"

共工不甘示弱，"谁陷害你了！我明明看见那火狐逃进了火山不见了，我的眼睛没有瞎！"

祝融："那火山温度如此之高，妖怪何以生存，又何以躲藏？"

共工："这我不知道，我只看见那妖怪就藏在你管辖的火山里了！"

祝融："看来，你是咬定我不放了！"

共工"哼"了一声，瞪了祝融一眼，径直朝前走去。

祝融大步赶上，生气地说："共工，你为何要与我作对？"

共工："是你自己矢口否认，怎么是我与你作对了？"

祝融："要是你在火山没有发现妖怪怎么办？"

共工："要是我发现了妖怪又怎么办？"

祝融："你说吧！"

共工想了想，"要是我发现了妖怪，你就从我胯下钻过去！"

祝融："好！要是你没有发现妖怪……"

共工紧接着说道："要是真的没有发现妖怪，我就从你胯下钻过去！"

祝融大叫一声："好！"

两人击掌，同声："一言为定！"

两人不再多言，直出南天门，朝火山飞奔而去……

第二章 二神恶斗
天塌地裂
伏魔济世
开天辟地

火山。

祝融和共工向火山飞来。

火山喷涌着岩浆，红流滚滚，火焰映红了天空，阵阵热浪扑面而来。

祝融挥出一掌，一束金光使火山上的火顿时熄灭。

祝融对共工说："请！"

共工看了祝融一眼，也不答话，自顾上山搜寻起来。他施展法术，口喷激流，朝有洞穴的地方喷去。

水流灌进洞穴，洞穴毫无动静。

共工搜寻了很久，一无所获。

祝融在旁冷眼看着，不由冷笑道："共工，搜到了吗？"

共工脸上冷汗直流，说道："我还没有搜完呢，急啥？"

祝融："哼，我等着，你搜吧！"

共工急忙仔细搜查起来，不放过任何一个洞穴，可是，仍一无所获。

祝融讥讽道："怎么样，找着了吗？"

共工："你定是刚才用法术将火焰熄灭之时，暗示它隐藏起来了！"

祝融怒火填膺，用手指着共工的鼻子，吼道："你竟敢血口喷人！"

共工："不然的话，我怎么会找不到？"

祝融愤怒地说："你找不到想赖账！"

共工："谁赖你的账了！"

祝融："废话少说！来，从我胯下钻过去！"说着，又开双腿，看着共工。

共工老羞成怒，"这是你的地盘，你将妖怪藏起来了，想让我认输，没那么容易！"

祝融威逼着共工，大声道："你到底钻还是不钻？"

共工："钻又怎样，不钻又怎样？"

祝融："钻，就算向我认输！不钻，可别怪我祝融翻脸不认人！"

共工："我就不钻，你想怎么样？"

祝融："好！我看你钻不钻！"说着，一掌击去。

一股烈焰直扑共工。

共工急忙闪开，朝火焰喷出一股激流。

水火相遇，水却没有将火扑灭。

共工怒吼一声，张开大口，又猛地朝祝融喷去一股水柱。

祝融见来势凶猛，闪到一旁。

两人激烈地打斗起来。

他们从山上打到海边。

突然，共工钻入海里。

祝融在海面上愤怒地等着共工。

共工在海底吸足了水，猛地蹿出海面，朝祝融喷去一股巨大的水柱。

祝融被呛得在空中连连倒退，他张开大嘴，猛地朝共工喷出烈焰。

共工急忙躲避。

两人在空中我来我往，打得天昏地暗。

大地上，洪水滔滔，一片汪洋。

森林里，烈焰熊熊，烧红了半天边。

伏羲的儿孙们惊恐地四散奔逃，哭声震天。

一阵阵洪峰扑来，将来不及往高处逃走的人们卷进洪流。

一股股烈焰喷出，将野兽和人们顿时烧焦。

祝融和共工不顾天下的灾祸，越打越猛，互不相让。两人从地下打到天上，又从天上打到地下。

天空乌云翻滚，地上恶浪滔天。

崇山峻岭。

白龙氏高喊着，让自己的儿女们朝山上跑去。

众人哭喊着，扶老携幼，往山上疾奔。

洪水一个浪头卷来，一些人被卷入水中，霎时淹没不见了。

绝望的惨叫声、哭喊声响彻山谷……

山林燃烧着大火。

洪水卷起滔天巨浪，大地一片汪洋。

高山顶上蹿出来各种野兽和精怪，朝人们扑去。

白龙氏指挥着儿女们用棍棒、石头杀开一条血路，冲上了山顶。

野兽们嗥叫着冲上来。

白龙氏和儿女们背水一战，怒吼着将石块砸向野兽和精怪。

它们朝后退去。

一个巨浪扑来，将一些凶恶的野兽和精怪卷入洪水，淹没不见了。

白龙氏和儿女们终于松了一口气。

白龙氏点了点剩下的儿女，只有不到千人。

众人望着滔滔洪水和森林烈火，号啕大哭起来。

白龙氏默默地坐在山顶上，泪流满面……

无底洞内。

小孽龙探出头来，看着在空中打斗的水神共工和火神祝融，咬牙切齿地说："你们好好打吧，让伏羲的子孙们全都给我淹死，烧死！"

空中。

共工和祝融打斗正酣。

龙王分开水路，带领虾兵蟹将跃上海面。

龙王望着滔天的洪水，大声喝问："你们为何搅乱我东海？"

祝融："你问他吧！"

共工："休得废话，接招！"说着，又喷出一股股水柱。

水柱喷到龙王的脸上。

龙王大叫："你们都别打啦！"

祝融："今日不教训教训他，他不知道我火神的厉害！"

共工："哼，谁比谁厉害，还说不定呢！"

龙王在海面上高声道："二位神仙，有事好商量，为何要反

目成仇呢？"

祝融："共工出尔反尔，搜不到妖怪，还不认输！"

共工："分明是你使法术将妖怪藏起来了，还强词夺理！"

两人边说边激烈地打斗着。

龙王正欲劝说，一股火焰喷来。

他猝不及防，被烧掉了几根龙须。

龙王痛得大叫："你们怎么将气撒在我身上？好了，我也不管你们了！"说着，带领虾兵蟹将拂袖而去。

祝融和共工互不相让，两人一直打到西方。

西方有一座高耸入云的不周山。这不周山是一根撑天的柱子。

共工渐露败势。

祝融的火势越来越猛。

共工的水柱浇不灭祝融的火，被逼得连连倒退，一直退到不周山旁。

祝融逼视着共工，怒吼道："你到底认不认输？"

共工："我没有输，又何来认输？"说着，喷出一股水柱。

祝融急忙避开，怒道："我非叫你认输不可！"

他虚晃一招，急速闪到共工身后，喷出一股烈焰。

共工大惊，来不及躲避，被撞到不周山上，眼冒金星，背上皮肉被烧焦了一大块。

不周山摇晃了几下，天和地也都微微地晃动了几下。

祝融双手抓起共工，叉开双腿，吼道："你给我从胯下钻过去！"说着，运用神力，将共工从胯下摔了出去，然后朝摔在地上的共工哈哈大笑。

共工老羞成怒，挣扎着爬起来，"我和你拼了！"说着，猛地朝祝融撞去。

祝融一闪身，共工的头撞在不周山上。

不周山猛烈地摇晃起来。

天和地也像一个摇篮一样，不停地晃动。

共工碰得头晕目眩，差点昏了过去。

他坐在地上，头上的鲜血汩汩地往外流。

祝融"嘿嘿"冷笑道："既然你已从我的胯下钻过去了，我也就不再奉陪了！"说着，哈哈大笑着腾空飞去。

共工怒视着祝融远去，摇晃着站了起来。他追出了几步，又站住了，想着自己从他的胯下钻过，以后在众神面前还怎么抬得起头来。他又羞又恼，自语道："真是羞煞我也！也罢……"他心灰意冷，朝不周山猛地撞了过去。

共工摇摇晃晃地倒下。

只听得"轰隆隆"、"哗啦啦"一阵惊天巨响，地动天摇，不周山被拦腰截断。

西方半边天空坍塌下来，天上露出了一个巨大的窟窿，地上也裂开了一道巨大的深坑。乌云从窟窿里滚滚直下，洪水从地底喷涌而出，波浪滔天，大地顿时成为一片汪洋……

泰山顶上。

小孽龙化作一股乌云飞上空中，看着西方坍塌的天空，滔天的洪水，熊熊的烈焰，幸灾乐祸地笑了。

他生怕被千里眼和顺风耳发现，急忙又从空中逃入无底洞，在无底洞里哈哈大笑起来……

灵霄宝殿。

玉皇大帝正和神仙们在议事，突然一声巨响，惊天动地。

玉皇大帝惊得在宝座上跳了起来，喝问："发生了什么

事？"

众天神也惊愕地睁大眼睛，不知发生了何事。

顺风耳和千里眼慌慌张张地跑进灵霄宝殿，累得气喘吁吁。

顺风耳："不好了！西方的天坍塌了，出现了一个巨大的窟窿！"

众天神大惊，悄悄议论起来。

玉皇大帝惊问："天怎么会塌？"

千里眼："共工和祝融不知怎么打斗起来，共工不敌，羞怒之下，将不周山撞断！"

玉皇大帝："你们两个快去继续查看，有事速来通报！"

千里眼和顺风耳领命匆匆离去……

茅屋内。

一群女人围坐在屋里，女娲将织好的衣服给她们试穿。

大家穿着新衣，高兴地互相打量着，欢声笑语不断。

女娲欣赏着大家的衣服，高兴地合不拢嘴。

女娲："好了，这些衣服你们就穿上吧！"

众女子纷纷说道："奶奶，谢谢你！"

女娲笑道："一家人，还谢啥，你们快去忙吧！"

众人高兴地纷纷离去。

湖畔。

伏羲和众人在湖边拉网捕鱼。

一网网鱼被拉上岸，众人欢笑着将网住的鱼抓出来。

宓妃也在网中抓着一条大鱼，鱼在她手里打了一个挺，掉在草地上。

宓妃没有抓住，大声叫着："爹爹，你快来帮帮我！"

伏羲笑着说过来,帮宓妃抓起那条大鱼,递给她:"拿好了!给你娘送去!"

宓妃答应一声,高兴地抱着大鱼朝茅屋跑去。

一群孩子围着牡丹花丛奔跑、嬉闹着。

女娲坐在门前,摇着用木棍支撑的简陋纺纱机,她边摇边看着远处捕鱼的伏羲和孩子们,脸上露出了欣慰的笑容。

宓妃抱着大鱼,欢笑着跑来,"娘,你看这鱼多大啊!"

女娲笑眯眯地看着女儿,"这是你爹捕的?"

宓妃自豪地说:"那当然!爹爹捕鱼可行了!"

突然,大地猛然摇晃了起来,接着传来一声惊天动地的巨响。

宓妃吓得惊叫一声,手一松,大鱼掉在地上,蹦跳着。

宓妃猛地扑进女娲怀里。

女娲吓了一大跳,紧紧抱着女儿,不知如何是好。

宛丘的人们个个大惊失色,不知发生了何事,都朝天空望去。只见西方的天空乌云滚滚。

孩子们惊叫着哭喊起来。

女娲突然醒悟过来,大叫一声:"不好!西方出事了!"转而又安慰女儿:"别怕,有娘在!"

伏羲站在湖边,惊愕地看着西方天空滚滚的乌云遮天蔽日,呆住了……

天宫。

雷神急急地来找华胥。

华胥见雷神神色匆匆,急忙问道:"雷神,怎么了,这么慌张?"

雷神:"大事不好了!那水神和火神在不周山打斗,将顶天

的柱子撞断了！"

　　华胥："难怪刚才天晃得这么厉害！"

　　雷神："西方的天空塌了，出现了一个窟窿，乌云滚滚，寒风直扑大地，地上又裂了一条巨大的沟壑，洪水直往上冒，大地一片汪洋！"

　　华胥着急地说："雷神，带我去看看！"

　　雷神："走！"

　　两人急急朝南天门奔去。

　　四个守门天将笑着拦住他们。

　　一个天将："你们俩这是到哪去呀？"

　　雷神："我和我夫人看看凡间到底怎么样了？"

　　另一个天将："你可以随时出入，但是夫人不可以出去！"

　　华胥哀求道："天将，你只要让我到门口看看就可以了，天下都是我的儿孙，这洪水泛滥，我西方的儿孙不知怎么样了？"

　　几个天将互相看了一眼，都相互点了点头。

　　一个天将："好吧，只可出南天门在旁边看看，不许走远。"

　　雷神："多谢天将！"

　　华胥感激地说："谢谢你们了！"

　　四个天将让开，雷神和华胥急急走出南天门，在门外紧张地俯视着西方。

　　只见西方乌云翻滚，遮天蔽日，地上洪水滔滔，一片汪洋，森林里大火冲天，子孙们悲惨的哭嚎声隐隐传来……

　　华胥泪流满面。

　　雷神眼里也含着泪。

　　华胥流泪不停地自言自语："怎么会这样？怎么会这样？……"

　　雷神望着凡间，悲愤地一言不发。

几个天将在旁催促道："好了，看完了就赶快回去吧！"

雷神扶着华胥朝南天门内走去。

华胥一步一回头，眼泪扑簌簌地直往下掉。

回宫的路上。

雷神心情沉重地说："这西方的孙儿们又遭大难了！"

华胥一把抓住雷神的手，急切地说："你可要想想办法啊！"

雷神："你先回去，我去禀明玉帝！让玉帝给这两个祸首治罪，把天空补上，让洪水和大火退去！"

华胥："我也要去！"

雷神："那好吧！我们赶快去吧！"

两人急匆匆地朝灵霄宝殿奔去……

灵霄宝殿内。

玉皇大帝正大声训斥着："他们两个打得天翻地覆，你们都没有一个去设法制止，也不来向我禀报，你们这是失职！"

众天神屏息静听，都没说话。

雷神和华胥匆匆走进殿内。

雷神大声说："玉帝，共工和祝融闹得天翻地覆，我西方的孙儿们遭大难了！"

华胥泪眼模糊，"玉帝，你可要给我们做主啊！"

玉皇大帝："此事我刚知道，我正要派天神去惩治他们！"

雷神："谢玉帝！"

玉皇大帝大声唤道："托塔李天王！"

托塔李天王上前拱手，"小神在！"

玉皇大帝："你速领天兵天将，捉拿共工和祝融！"

托塔李天王："臣遵旨！"说完，大步走出了宝殿。

玉皇大帝："雷神，华胥，你们两个可以放心了！"

华胥："既然玉帝已下旨追查，我们也就放心了。"

雷神："玉帝，小神代天下的儿孙们谢过了！"

玉皇大帝点了点头，"你们先退下吧！"

雷神和华胥朝玉帝拱手告辞，转身走出灵霄宝殿……

不周山。

托塔李天王率领天兵天将疾步走出南天门，驾着祥云来到不周山。

他朝不周山望去，只见共工头破血流，昏死在地，祝融不知去向。

托塔李天王急忙上前，俯下身探了探共工的鼻息，尚有气息，站起来命令道："来呀！将共工给我捆起来！"

众天兵天将上前，正欲捆绑共工，共工缓缓醒了过来。见是托塔李天王带领天兵天将捉拿自己，大吼一声："谁敢绑我！"

几个天兵天将吓得倒退几步。

托塔李天王威严地说："共工，你撞倒不周山，将天地损坏，我奉玉帝之命，前来捉拿你！"说完，命天兵天将："给我绑起来！"

共工流血过多，身体虚弱，无法反抗，被天兵天将抓住，绑了起来。

托塔李天王对几个天兵天将大声命令："你们几个将共工带回天庭，交玉帝处置！其余的随我去捉拿祝融！"

天兵天将领命，将狼狈不堪的共工押往天庭。

托塔李天王带领众天兵天将驾着祥云，在空中搜寻祝融。良久，不见祝融踪迹。

一个天将上前禀道："天王，到处不见祝融，是不是上天去了？"

托塔李天王点点头，"走！上天庭找他去！"说着，驾着祥云，率领众兵将，飞回天庭。

回天宫的路上，祝融正怒气冲冲地走着。

托塔李天王见是祝融，大叫一声："祝融！"

祝融回头一看，见托塔李天王率天兵天将前来，说道："天王，找我何事？"

托塔李天王："我奉玉帝旨意，前来捉拿你！"

祝融："不用你捉拿，我随你一道去面见玉帝！"说着，朝灵霄宝殿径直走去。

灵霄宝殿。

玉皇大帝威严地坐在大殿上，怒视着共工，喝问："共工，我派你和祝融前去追查妖怪，为何不去捉拿妖怪，却将不周山撞倒？"

共工跪在地上，禀道："玉帝，这祝融竟欺上瞒下，用法术将妖怪藏入火山，让我遍寻不着，实为可恶！"

正在这时，祝融走了进来，托塔李天王紧跟其后。

托塔李天王疾步上前，拱手道："玉帝，祝融带到！"说完，退到一边。

玉皇大帝怒问："祝融，你为何藏匿妖怪？"

祝融上前跪禀："共工血口喷人，臣未曾将妖怪藏入火山！"

共工："我亲眼所见，你竟想抵赖！"

祝融生气地说："玉帝，他是找不到妖怪，嫁祸于我！"

共工："玉帝，你可要给他治罪，他包藏祸心！"

玉皇大帝生气地说："先说说你，为何将不周山撞倒？"

共工害怕地说："我……我……"

玉皇大帝："你快说呀！为何吞吞吐吐？"

共工："我……"

祝融对共工催促道："你快说呀，为何不说？"

共工恶狠狠地瞪了祝融一眼，没有说话。

祝融禀道："玉帝，还是让我代他说吧！"

玉皇大帝："讲！"

祝融："只因共工与我打赌，若在火山找到妖怪，我从他胯下钻过去；如找不到妖怪，他就从我胯下钻过去。共工找不到妖怪，就污蔑我用法力藏匿了妖怪！玉帝，火山烈火熊熊，我如何能将妖怪藏起来，即使有妖怪，也藏匿不住。"

玉皇大帝点了点头。

共工："玉帝，你别听他一面之词，我敢断定，他将妖怪用法术藏起来了！"

祝融大吼："谁把妖怪藏起来了？"

共工用手指着祝融的鼻子，也不示弱，大叫道："就是你！"

玉皇大帝狠狠拍了一下桌子，怒喝："都给我闭嘴！共工，我只问你，为何要撞不周山？"

共工："我……我气不过！"

玉皇大帝："你为了泄恨，将不周山撞倒，可知天底下有多少人因此而死于非命！"

共工不再言语。

千里眼和顺风耳急匆匆走进来。

千里眼对玉皇大帝禀道："玉帝，不好了！天下洪水泛滥，西方部落淹死的人和野兽无数！"

玉皇大帝急问："西方部落你见到人没有？"

千里眼："所余不足千人。"

玉皇大帝恶狠狠地瞪着共工："这就是你干的好事！"

顺风耳："玉帝，森林里大火熊熊，烧死的人和野兽到处都是，烧焦的气味直冲天庭！"

祝融一听，赶紧低下头去，额头上渗出了冷汗。

玉皇大帝怒视着祝融，"祝融，你听见了吗？"

祝融低头不语，不停地擦着头上的冷汗。

玉皇大帝怒目圆睁，"你们俩真是无法无天了！"

共工和祝融低头不语。

玉皇大帝威严地说："共工，你撞断不周山，你可知罪？"

共工惊恐地说："小神知罪！"

玉皇大帝："来呀！将共工押下去，斩！"

共工面如土色，颤抖着说道："玉帝，饶我一命吧！"

玉皇大帝："饶你？你撞断顶天柱，使多少无辜死于非命！"

共工："玉帝，我知罪了，饶了我吧!"

玉皇大帝怒吼："快给我拖下去！"

几个天兵天将上前，将共工拖出了大殿。

祝融胆战心惊地跪在地上。

玉皇大帝大声喝道："祝融！你擅自喷火，致使西方的生灵涂炭，你可知罪？"

祝融："小神知罪！"

玉皇大帝："来呀！将祝融给我关进天牢！"

几个天兵天将上前，架着祝融出了宝殿……

茅屋前。

伏羲从湖边急急朝家门口走来。

女娲和宓妃正惊恐地朝天空望着。

伏羲来到女娲面前，心情沉重地说："西方肯定出事了！"

宓妃抬起头，眼露惊恐之色，"爹爹，我怕！"

伏羲安慰道："孩子，别怕！"

女娲抚摸着宓妃的头，对伏羲说："这西方不知到底发生了什么事，怎么会这样？"

伏羲神情凝重地看着西方的天空，长叹一声："唉，我也不知道！"

女娲："看这情形，西方又遭难了，白儿他们现在不知怎么样了？"

伏羲痛苦地点了点头，"我们赶快去看看吧！"

女娲应道："好，那咱们快走吧！"

宓妃："我也要去！"

女娲："孩子，你别去了，在家好好待着，爹娘很快就会回来的！"

正在这时，黄龙氏惊恐地从远处跑来，"爹娘，这地动天摇不知发生了何事，西方的天空浓烟滚滚，像塌了一样。"

伏羲："我和你娘正准备去看看，你在家里好好地看着，别出了什么事！"

黄龙氏点了点头，"放心吧！"

宓妃哀求道："爹娘，带我一起去吧！"

女娲搂紧女儿，疼爱地说："孩子，听话，你别去！"

伏羲对黄龙氏说道："你带好妹妹，别让她乱跑，我和你娘去去就来！"

黄龙氏："我会带好妹妹的。"

伏羲打了一声呼哨。

麒麟和凤凰匆匆从远处飞来，落在伏羲和女娲面前。

伏羲和女娲急忙跨上麒麟和凤凰朝西方飞去。

宓妃泪流满面地目送着伏羲和女娲远去。

黄龙氏看着父母远去的身影，神情凝重……

西方。

天空乌云滚滚，遮天蔽日。

伏羲和女娲骑着麒麟和凤凰，在空中盘旋着。

大地一片汪洋，飘浮着野兽和儿孙们的死尸。

两人在空中盘旋着，看着这一片惨景，悲痛的泪水不停地滚落。

伏羲在空中不停地大声呼唤着："白儿！白儿！……"

女娲哭喊着："孩子，我的孩子啊……"

高山顶上，白龙氏和儿女们忽然见伏羲和女娲飞临上空，全都激动得站了起来，大声喊着："爹——娘——""爷爷——奶奶——"

伏羲和女娲发现了白龙氏和孩子们，惊喜地降落在山头。

众人泪流满面，紧紧地和伏羲、女娲拥抱在一起，久久说不出话来。

女娲含着泪，"孩子们，你们受苦了！"

伏羲痛心地问："这到底是怎么回事？"

白龙氏擦了擦眼泪，说道："爹爹，天上两个神仙打架，撞断了顶天柱不周山，将西方天空撞塌了一个大窟窿！"

儿孙甲说道："他们一个吐水，一个喷火，降下了这滔天洪水和林中大火！"

儿孙乙哭着说道："淹死和烧死了我们很多人！"

白龙氏气愤地说："我们又没有得罪他们，为何这般残害我

们！"

儿孙丙："爷爷、奶奶，天塌了，我们的日子可怎么过啊！"

……

伏羲怒火填膺，"原来是这样！我找玉帝去！"

女娲："走，我们找玉帝评理去！"

伏羲："妹妹，你留在这里，我一人去就可以了！"

女娲想了想，"好吧，你快去，向玉帝讨个说法，一定要他将这水和火赶紧退去！"

伏羲点点头，"我会的。"说完，跨上麒麟，腾空而去。

灵霄宝殿。

玉皇大帝坐在宝座上，正和天神们议事。

伏羲怒气冲冲走了进来，大声对玉皇大帝说道："玉帝，天上神仙争斗，祸及我天下儿孙，请玉帝明查！"

玉皇大帝："伏羲，此事我已知道了！已将肇事神仙共工和祝融施以刑罚！"

伏羲愤愤地说："施以刑罚又有何用？我天下儿孙如今还在水深火热之中，处在毁灭的边缘！"

玉皇大帝："我正和天神们商议，妥善处理此事！"

伏羲眼含悲愤的泪水，"那请玉帝快快下旨，救我儿孙于水火，我西方的儿孙已所剩无几了！"

玉皇大帝大声唤道："海神禺强！"

禺强出列，拱手道："小神在！"

玉皇大帝："你速将西方之水退去！"

禺强："小神听令！"领旨而去。

玉皇大帝："雨神！"

雨神出列，拱手道："小神在！"

玉皇大帝："你速将西方森林之火全部浇灭，不得有误！"

雨神："是！"说完，匆匆离去。

伏羲拱手道："谢玉帝，水火退去，我儿孙就有救了！"

玉皇大帝："伏羲，这下你可放心了吧？"

伏羲："我还有一事放心不下！"

玉皇大帝："哦，还有何事？"

伏羲："想那不周山突然倒塌，西方天空坍塌了一个巨大的窟窿，从窟窿里涌出滚滚乌云，遮天蔽日，寒风肆虐。如今地上又裂开一个巨大的沟壑，即使退去洪水，地下仍不断涌出浊流，泛滥成灾。我儿孙怎能生存？"

玉皇大帝为难地说："西方天空坍塌的窟窿太大，无人能将它补上，我也正为此事发愁！"

伏羲："玉帝，你是天上的至尊，请你一定想办法将那窟窿补好！"

玉皇大帝："你先回去吧，待我想想办法。"

伏羲："谢玉帝，那伏羲告退了！"说罢，转身离去。

天空。

禺强驾着祥云，站在西方的天空，张开嘴。

地上的洪水直朝他口中涌去。

不一会儿，地上茫茫的洪水消失了。

禺强见洪水已退，匆匆回天庭复命去了。

雨神也驾着祥云来到西方天空，见原始森林大火熊熊，便施展法术，倾盆大雨从天而降，浇向熊熊烈火。

顷刻，森林大火被浇熄了。

雨神完成任务，也回天庭复命去了。

高山上。

女娲和白龙氏的儿孙们看着天神将洪水退却，又将森林大火熄灭，一个个激动得大叫起来："洪水退啦！""大火熄了！"……

女娲和白龙氏焦急地望着天空，等待着伏羲的归来。

这时，伏羲骑着麒麟出了南天门，朝西方高山飞来。

女娲高兴得热泪盈眶。

白龙氏大叫："爹爹、爹爹——"

众人也大声呼唤着："爷爷、爷爷——"

伏羲骑着麒麟降落在众人面前。

众人纷纷说道："爹爹，这水和火都退了！""爷爷，多亏了你！"……

伏羲也激动地说："孩子们，这天灾让你们受苦了！"

女娲走到伏羲面前，指着天上的窟窿说道："这么大的窟窿，可怎么办哪？"

伏羲忧愁地说："玉帝也没有办法，正在发愁呢！"

女娲一听，"这窟窿不停地涌出乌云，孩子们见不到阳光，如何生活啊？"

白龙氏："这窟窿不断涌出乌云，寒风刺骨，又冷又冻，玉帝都没办法，那可怎么办哪？"

伏羲仰望着滚滚乌云，无奈地叹了一口气。

众人又唉声叹气起来。

女娲心痛地看着自己的儿孙们，说道："我们一定要想办法将这天补好！"

伏羲点了点头，"对，玉帝没有办法，我们自己想办法！"又转头对白龙氏说道："白儿，你带着孩子们先安顿好，忍耐一

些时日吧。我和你娘会想办法将这天补好的！"

白龙氏点了点头。

女娲："白儿，你是一方首领，要给孩子们带个头，暂时渡过眼前这个难关！"

白龙氏擦去眼泪，"你们放心吧，我会照顾好这些儿女的！"

伏羲和女娲点了点头。

伏羲："那我就放心了！"

女娲："我们看有没有什么补天的办法！"

伏羲："好吧！"

两人跨上麒麟和凤凰，告别儿孙们，依依不舍地离去。

天空。

伏羲和女娲在四处巡视了一圈，又飞回到了西方，

伏羲："妹妹，我们这样只怕寻不到什么好办法。"

女娲："是啊，这可怎么办呢？"

伏羲："我也累了，这下面正好有一条小河，不如我们先歇息一下，喝口水再走吧。"

女娲点了点头。

两人飞落在一条小河边。

伏羲和女娲下了坐骑。

女娲弯下腰，捧起河水准备喝，突然发现她手里的河水黏糊糊的。

女娲惊奇地说："哥哥，这水怎么是黏的，不能喝！"

伏羲奇怪地说："不会吧，水怎么会黏呢？"

女娲："你快来看看！"

伏羲走了过去，蹲下身，也用手捧起河水，河水果然黏糊糊

的。

伏羲看着手中的河水，若有所思。

女娲："哥哥，你怎么发呆了，我有些饿了，快去弄点吃的吧！"

伏羲回过神来，站了起来，"妹妹，你等着！"说着，朝附近的林中走去。

女娲一个人坐在河边，将双脚放入河水里，清清的河水泛起层层涟漪，脚下的鹅卵石五颜六色，煞是好看。

女娲高兴地捡起一块块鹅卵石，放在手中把玩着，又不经意地蹲下身，将这五彩缤纷的鹅卵石浸在水里，让河水在她手中轻轻穿过。

突然，女娲发现手中的鹅卵石一放在水里，马上就粘在了一起。

女娲惊异地看着，大叫着："哥哥，你快来看，这石子怎么被河水粘起来了？"

伏羲正捧了一大堆果子，朝女娲走来，听到女娲的喊叫，大声道："妹妹，你说什么？"

女娲："哥哥，你快来看嘛！"

伏羲将果子放下，来到女娲身边。

女娲："哥哥，你看！"

伏羲仔细看去，见女娲捧着粘在一起的五彩石，惊奇地说："哎呀，真好看！"

女娲将五彩石竖着拿起来，"你看，它们粘在一起，都不会掉！"

伏羲高兴地说："我也试试！"说着，从清清的河水里捡起五六个五颜六色的鹅卵石放在左手，用右手舀了些河水倒在左手的鹅卵石上，只见几块鹅卵石顷刻间粘在一起。

伏羲又从河底捡起十多块鹅卵石拼在一起，将河水浇在上面，鹅卵石立即粘在一起。

伏羲高兴地竖着拿了起来，中间却又掉下几块。

伏羲皱了皱眉头，他不停地把玩着，思索着。

女娲："哥哥，别想了，先吃点果子吧，我饿了！"

伏羲点点头，拿着手中粘在一块的鹅卵石走上岸，将果子放在鹅卵石上。

两人坐在河边，吃了起来。

伏羲看着鹅卵石，边吃边想着。

女娲："哥哥，你在想什么？"

伏羲："我觉得很奇怪，我们宛丘的湖水怎么不会黏糊糊的呢，而西方这条小河的水却黏糊糊的，是不是在向我们昭示着什么？"

女娲："我也觉得不可思议。"

伏羲："我在想，要是说这鹅卵石和这水能粘在一起补天的话，这天空的窟窿这么大，也没法补啊！"

女娲："是啊，我刚才也这样想过，只是苦于不知道这鹅卵石怎么才能补到天上去！"

伏羲："河底满是鹅卵石，河水又这么清澈黏糊，这一定是在昭示着我们去发现怎样使用它！"

女娲点了点头，"我也觉得是这样。"

伏羲："不过，这鹅卵石既然拿在手上能粘在一块，为什么在水里粘不在一起呢？"

女娲："我也不明白。"

伏羲："我刚才试了一下，用很多的鹅卵石粘在一块，并不是很牢靠。"

女娲："那要是用它来补天，还是不行。"

伏羲："办法是人想出来的，先吃了果子再说吧！"

女娲拿起一个果子就咬。

两人高兴地吃了起来，一大堆果子一会儿就吃完了。

女娲："哥哥，我吃饱了。你吃饱了吗？"

伏羲笑着说："我也吃饱了！"

两个人躺在岸边，望着天上的窟窿。

女娲："哥哥，这窟窿乌云滚滚，怎么补啊，有东西也没法补。"

伏羲："现在最迫切的就是要想办法将这所有的鹅卵石粘起来，补到天上去。"

女娲："窟窿这么大，真是难哪！"

伏羲："难，也要想办法将它补上。妹妹，让我想想，一定能想出办法来的。"

女娲想了一会儿，突然惊喜地说道："哥哥，有啦！"

伏羲急问："快说说看！"

女娲："哥哥，你忘了，我们的陶器用泥巴在火里一烧，不是粘得很牢吗？"

伏羲猛地坐了起来，高兴地大叫："妹妹，你真聪明！我们将这些鹅卵石也放进火里，把它烧一烧，看看如何？"

女娲也猛地坐了起来，"好啊，哥哥，我捡鹅卵石，你去林中拾树枝！"

伏羲高兴地答应了一声便朝林中跑去。

女娲下到河里，来来回回，捧了一大堆鹅卵石，放在岸边。

伏羲抱来一大堆柴草，堆在鹅卵石上。

伏羲捡起两块鹅卵石，用力敲击着，火星四溅，枯枝树叶被点着了，火势越来越大。

伏羲和女娲在旁边紧张地看着。

女娲："哥哥，这鹅卵石不知能不能熔化？"

伏羲："妹妹，别急，先等等看！"

火越烧越旺，五颜六色的鹅卵石开始像鸡蛋壳一样慢慢裂开。

伏羲想了想，"妹妹，我们去捧些水浇到上面试一试，看是不是更好些？"

女娲点头。

两人跑到河边，双手捧着水，浇在鹅卵石上。

裂开了的鹅卵石发出"吱吱"的声音，冒出一阵阵白烟，很快熔在一起。

黏合在一起的鹅卵石发出璀璨的光芒，煞是好看。

女娲高兴地跳了起来，大声叫着："哥哥，我们终于找到补天的办法了！"

伏羲站起来，高兴得哈哈大笑。

两人激动得紧紧拥抱在一起。

女娲兴奋地说："哥哥，我们先将这个好消息告诉孩子们吧，好让他们放心。"

伏羲："好！我们带着孩子们到这儿来炼石！"

两人跨上麒麟和凤凰朝西方部落飞去……

第三章 女娲补天

孽龙阻挠

伏魔济世

开天辟地

西方部落。

白龙氏带着儿女们在搭建茅屋，众人干得正欢。

伏羲和女娲骑着麒麟和凤凰，降落在众人面前。

白龙氏高兴地跑过来："爹娘，你们来了？"

众儿孙也跑过来，围着伏羲、女娲问长问短。

伏羲高兴地说："孩子们，有办法补天了！"

白龙氏惊喜地问道："爹爹，什么办法？"

女娲："你们前面那条小河里的鹅卵石就能补天！"

众人纷纷说道："不会吧，鹅卵石河里到处都是，这小小的鹅卵石怎么能补天呢？""天上的窟窿这么大，鹅卵石这么小，怎么补啊？""石头还能补天吗？"……

女娲："孩子们，我们已经试过了，很管用！"

众人仍然将信将疑。

白龙氏："娘，我不太相信，我们去看看好吗？"

众人也齐声嚷嚷："爷爷、奶奶，我们一起去看看吧！"

伏羲："好，你们跟我们走吧！"说着，和女娲朝前走着。

众人紧随其后，朝小河奔去。

小河边。

众人来到小河边。

白龙氏："爹爹，你告诉我们这河里的鹅卵石怎么能补天？"

伏羲走近河水，捧起五六块鹅卵石。

众人都跑到水里，围着观看。

伏羲对白龙氏说："你将河水浇到我手里的鹅卵石上看一看。"

白龙氏弯腰捧起河水，倒在伏羲手中的鹅卵石上。

奇迹出现了，鹅卵石瞬间粘在一起。

一个儿孙惊喜地竖着拿起这一大串连在一起的鹅卵石，大声叫道："这鹅卵石真的粘起来了！"

众人也高兴得欢呼起来，都跑到河里捡鹅卵石，纷纷道："这些鹅卵石真漂亮啊！""我们原先怎么就没有发现呢？"……

伏羲和女娲高兴地笑着。

伏羲："孩子们，这回你们相信了吧？"

白龙氏高兴地说："爹娘，你们是怎么发现这鹅卵石的？"

伏羲："是你娘先发现的，但当时没有想到用它们去补天。你看，那堆火里面就有一大块熔化了的五颜六色的鹅卵石。"

女娲："这是你爹用火烧熔化之后，再浇上这河水炼成的。"

　　白龙氏高兴地跑过去，在灰烬中拿起那一大块熔好的鹅卵石，鹅卵石发出五彩光芒。

　　众人欢呼着跑过去，纷纷抢着，看着。

　　伏羲对众人大声说道："儿孙们，如今我们找到了炼石补天的办法了，大家要齐心协力，将天上这个大窟窿补好！"

　　众人齐声答应着："好！好！"……

　　欢快的笑声在山谷久久地回荡着……

　　女娲对儿孙们说道："孩子们，天上这个大窟窿要补起来，并不是很容易，要花费我们很多的精力！"

　　白龙氏发愁地说："是啊，天这么高，我们可怎么上去呀？"

　　一个儿孙："爷爷、奶奶，你们有麒麟和凤凰，可我们又不能飞，怎么能帮上忙啊？"

　　另一个儿孙："天上这窟窿这么大，又乌云滚滚，看也看不清，怎么补啊？"

　　众人议论纷纷，莫衷一是。

　　伏羲："儿孙们，我们已经找到了补天的鹅卵石，这就好办了！"

　　女娲："天这么高，但也难不倒我们！不周山只塌了一截，我们可以在不周山顶上用树木搭起补天台，不就行了吗？"

　　白龙氏："对，娘说得对！这不周山本就是顶天柱，断了一截，我们搭好补天台，就解决了这一大难题！"

　　一个儿孙："可是我们现在不足千人，人手不够怎么办？"

　　伏羲："这有何难，我从其他部落调些人来，不就行了吗？"

　　女娲："孩子们，这炼石补天可不是一日两日的事，大家可要做好吃苦的准备啊！"

另一个儿孙："爷爷、奶奶，我们不怕吃苦！"

众人齐声附和。

伏羲和女娲高兴地笑了。

伏羲："不愧是我的子孙！"

白龙氏："那我们何时开始补天？"

伏羲："补天可是一件大事，我要去召集各部落的孩子们前来相助！"

白龙氏："这可太好了！"

女娲对白龙氏说道："让你爹去召集人，我们先开始搭建补天台。"

白龙氏："爹娘，你们也累了，歇息一晚，明日开始吧？"

伏羲和女娲点点头。

伏羲："好，明天我们分头开始！"

白龙氏高声对儿女们说道："孩子们，爷爷、奶奶难得和我们在一块，你们快到林中去摘些果子，到河里捕些鱼来，大家好好热闹热闹！"

众人欢呼着分头上山的上山，下河的下河，忙碌起来。

伏羲和女娲高兴地看着儿女们。

伏羲感叹地说："要是没有这天灾多好啊！"

女娲也情不自禁地说："是啊！孩子们真受罪呀！"

不一会儿，白龙氏指挥着众人摘来了果子，捕了一些大鱼和几只野兽。

篝火燃起来了。

白龙氏："爹娘，你们快坐下，我给你们烧东西吃！"

伏羲和女娲高兴地坐下。

众人也纷纷围坐在篝火旁，吃着，闹着，欢笑着。

空中。

伏羲骑着麒麟来到宛丘上空。

麒麟飞落在湖边。

宓妃见爹爹回来了，高兴地大叫："爹，你回来啦！"说着，朝伏羲奔去。

众人纷纷从茅屋出来，见伏羲回来，高兴地朝湖边跑来。

宓妃扑到伏羲的怀里，"爹，你回来了，娘呢，她怎么没有和你一起回来？"

伏羲慈爱地抚摸着宓妃的秀发，"你娘留在西方部落，一下子不能回来！"

宓妃："我想我娘！"

这时，黄龙氏率众奔跑过来。

黄龙氏："爹爹，你可回来了！"

伏羲："你们都好吗？"

黄龙氏："都好！西方那边怎么样了？"

伏羲："天塌了一个大窟窿，现在急需补上！"

众人大惊，议论起来："原来是天塌了，我说怎么乌云滚滚呢！""天怎么会塌呢？""那西方不是遭殃了？"……

伏羲难过地说："那边的人现在正遭受着苦难，洪水淹没了他们住的地方，大火烧掉了森林，还剩下不足千人了。"

众人听说后纷纷掉下了眼泪。

宓妃心情沉重地说："天塌了，那可怎么办呢？"

黄龙氏："爹爹，需要我们去帮忙吗？"

伏羲点了点头，"我正为这事而来！如今，我和你娘已找到补天的办法！"

黄龙氏高兴地问："真的？什么办法？"

伏羲："我们在西方的一条小河里发现了一些五彩鹅卵石，

那河水也黏糊糊的，竟然能够将这些鹅卵石粘在一起。"

宓妃惊异地说："这水还能把石头粘起来，那真奇了！"

黄龙氏："天这么高，可怎么补啊？"

伏羲："这就需要很多人，所以我要召集天下的儿孙们去西方共同补天！"

黄龙氏："爹爹，我即刻带部落的人前往西方，助弟弟一臂之力！"

伏羲高兴地点头道："好！走时你把家里的事情安排好，老幼女人就别去了！"

宓妃："爹，我也要去！"

伏羲："你一个女孩子，这么远，就别去了！"

宓妃："我就要去，有爹娘在，我不怕！"

伏羲想了想，"好吧，你就随哥哥一块来吧。我还要去其他部落召集人众！"

宓妃高兴地说："太好了！"

伏羲交代完，骑着麒麟，朝其他部落飞去……

西方部落。

女娲和白龙氏指挥着众人在不周山上砍伐着树木。

大家干得热火朝天。

巨大的补天台在一层一层地增高，远远看去，高耸入云。

女娲高兴地对白龙氏说道："这下好了，这补天台一搭建起来，就可以补天了！"

白龙氏："娘，真辛苦你了！"

女娲："这天要是补好了，我就放心了！"

白龙氏："娘，补天台搭起来了，你就歇息去吧，这补天的事，还是让我来吧！"

　　女娲慈爱地说："孩子，这天上的窟窿乌云滚滚，就算搭起了补天台，真要补起来，还是很难的。"

　　白龙氏："正因为这样，我才不能让娘上去！"

　　女娲："娘有飞天的本事，这次多少还能派上用场！"

　　白龙氏："可是那乌云滚滚的地方，又时常寒气逼人，我怕你身体受不了！"

　　女娲："别担心了，娘没事的！"

　　正在这里，伏羲骑着麒麟从远处飞来，落在女娲和白龙氏面前。

　　白龙氏高兴地说："爹，你回来了！"

　　女娲也走上前，"都告诉孩子们了吗？"

　　伏羲高兴地点点头，"各部落的孩子们都已经启程了，很快就会到了！"

　　女娲："这下好了，人多补起来也快！"

　　白龙氏："这补天之事，不仅要劳烦爹娘，还要辛苦兄弟们了！"

　　伏羲："你们兄弟相帮也是应该的。"

　　女娲："孩子，天补好之后，你们可要和睦相处，万万不要再有什么争斗啊！"

　　白龙氏重重地点了点头，"孩儿记住了！"

　　伏羲："宓妃这孩子也要来，我劝都劝不住，就让黄儿来时把她一块带来。"

　　女娲："让她来吧，这样也好，多吃些苦对她有好处的！"

　　众人见伏羲来了，边扛着树木，边喊叫着："爷爷，爷爷……"

　　伏羲向儿孙们微笑着招手，"孩子们，你们辛苦了，累了就歇歇！"

众人纷纷说道："爷爷，我们不累！"……

女娲对伏羲说道："现在补天台快搭好了，不用几日就可以补天了。"

伏羲："还是等各部落的儿女们来了再补吧，这大量的鹅卵石还需要炼呢！"

女娲点了点头，"好吧！"

灵霄宝殿。

千里眼和顺风耳急匆匆走进来，对玉皇大帝说道："玉帝，伏羲和女娲已找到了补天的办法！"

玉皇大帝惊喜地问："真的？他们用何物补天？"

千里眼："他们将河里的鹅卵石用火熔化，再浇上河水，就凝结成块了。"

玉皇大帝："哦？这种办法也能补天？"

顺风耳："我听得明明白白，一点没错！"

千里眼："我也看得清清楚楚，他们已试过了，而且那鹅卵石被烧炼后，五颜六色，非常漂亮！"

众天神听了也啧啧称奇。

玉皇大帝："想不到这伏羲、女娲还有这种本事。我都想不出办法，他们竟然想出来了！"

各部落的人在首领的带领下，从四面八方奔向西方部落。

黄龙氏带着宓妃和众人也千里迢迢赶到了不周山下。

人们陆陆续续到来，没几天，各部落的人全都到了，黑压压一大片，布满了不周山和小河边。

伏羲和女娲来到众人中间。

众人欢呼起来。

伏羲高声说道："孩子们，这天神争斗，将不周山撞断，天空塌了一个这么大的窟窿，我叫你们来，就是想要你们帮帮兄弟们，大家共同将这窟窿补好。"

女娲："要是不将这窟窿补好，会越塌越大，祸及天下的子孙们。因此，大家必须尽全力将这窟窿补好！"

众人齐声高呼："我们一定把窟窿补好！"……

宓妃兴奋地看着，走到娘的身边，紧紧拉着娘的手。

伏羲："现在我来分工，你们听清楚了！"

大家全都静了下来。

伏羲大声说道："黄龙氏、黑龙氏，率领你们带来的人负责熔炼河中的鹅卵石，以应补天之需！"

黄龙氏和黑龙氏大声应道："我们知道了！"

伏羲："四夷部落！你们率众负责从河边将烧炼好的鹅卵石送达不周山底。"

四夷部落首领齐声："爹，我们明白了！"

伏羲："白龙氏、赤龙氏、青龙氏，你们率部落人众，从不周山底将补天石送到补天台。你们听清楚了吗？"

三人齐声答道："我们听清楚了！"

伏羲："听清楚了就好！这在补天台上补天之事，就是我的了！"

女娲急忙说道："不行，补天还是我来吧！"

白龙氏："爹娘，窟窿这么大，又刮着寒风，里面涌出滚滚乌云，上去很危险的！我是西方的首领，应当由我去！"

黄龙氏："弟弟，你别争了，我是老大，理应我去！"

众兄弟纷纷争道："让我去！让我去！"……

众儿孙也大声争着叫道："让我去！让我去！"……

伏羲："你们都别争了，我有麒麟可以帮忙，上去补天比你

们方便！"

女娲："你也别争了，你不会飞天，万一出了什么事可怎么办？你还是在下面指挥儿孙们吧，补天的事由我来，我若在空中遇到困难，即使凤凰帮不上我，我也能飞天！"

伏羲急忙说道："补天是非常累的，你会吃不消的！"

女娲笑道："没事的，你放心吧！"

白龙氏担心地说："娘，你还是让我上去吧！"

女娲坚定地说道："你们都别争了，我已经决定了，大家赶快准备吧！"

儿孙们还想争取，伏羲说道："好了，大家别争了，都开始干活了！"

众人不再争了，纷纷各就各位。

各部落首领指挥着自己的人，开始忙碌起来。

伏羲："妹妹，我们先上去查看一下那窟窿到底有多大。"

女娲："这次可要好好查看清楚了，补天的时候也就知道需要多少补天石了。"

伏羲和女娲骑着麒麟和凤凰不停地围着窟窿盘旋。

只见天塌处黑洞洞的，乌云不停地从里面翻滚而出，寒风凛冽，"呼呼"地直扑而来，两人不由打了个冷颤。

麒麟和凤凰吓得连连倒退，无法近前。

伏羲大叫道："妹妹，这补天太危险了，还是我来吧！"

女娲："不行，你看，麒麟和凤凰都无法靠近，我毕竟还能飞天，你就别争了！"

伏羲想了想，"那好吧，妹妹你可要小心了！"

女娲点了点头，接着说道："这窟窿真是太大了，你叫孩子们多炼些补天石，一定要将它补得严严实实，不然的话，还会裂

开的！"

伏羲："其余的事你就放心好了！"

女娲："哥哥，我现在就上补天台，你快下去指挥孩子们干吧！"

伏羲叮嘱道："妹妹，你可千万要小心了，若吃不消，你赶快告诉我，我好把你换下来。"

女娲："哥哥，你就快去吧，我知道了！"

伏羲深情地看了女娲一眼，骑着麒麟飞了下去。

女娲骑着凤凰飞落在高耸入云的补天台上，准备开始补天。

她望着黑洞洞的窟窿，坚定地说："我一定要将这天补好，给我儿孙们一个明亮的天空！"

伏羲指挥着众人，开始有条不紊地炼石和运石了。

从小河边到补天台，到处人山人海，人们干得热火朝天。

黄龙氏率人把河中的鹅卵石运到岸上。

黑龙氏指挥着部众捡来柴草，燃起熊熊大火，烧炼鹅卵石。

四夷部落的人将烧炼好的鹅卵石运往不周山。

白龙氏、赤龙氏和青龙氏三人指挥着人们将补天石一块块运往补天台。

长长的人流运送着五彩的补天石。

人们将补天石放在搭好的木架上，抬的抬，扛的扛，背的背，连续不断地把补天石送达高耸入云的补天台，场面蔚为壮观，一时间人声鼎沸，热闹非凡。

高高的补天台上，补天石被一块块递上来了。

女娲搬起补天石，从窟窿边上开始补天。

涌出的乌云将她笼罩着。

女娲被呛得睁不开眼睛，连连咳嗽。

凤凰飞到女娲的身边，扇动着翅膀，扇去了女娲身边的乌云。

女娲感激地朝凤凰点了点头，又拿起一块补天石补了起来……

无底洞内。傍晚。

小孽龙又从无底洞蹿了出来。

他来到高高的泰山顶上，朝西方望去。

只见西方的不周山上搭起了一座高高的台子，隐隐听到人们吆喝的声音。

小孽龙恶狠狠地说："伏羲，女娲，你们竟想补天，我叫你们补不成！"说着，变成一股乌云，朝西方坍塌的窟窿飞去……

高耸入云的补天台上。

女娲挥汗如雨地搬着补天石，一点一点地补着窟窿。

小孽龙化作一股乌云，冲进乌云滚滚的窟窿里，在里面张开大嘴，使劲地喷吐黑雾。

浓烈的黑雾从窟窿里奔涌而出。

女娲被黑雾笼罩着。

凤凰使劲地扇动着翅膀，驱散着黑雾。

凤凰尖厉地叫了一声，麒麟在河边听见叫声，飞快地朝凤凰飞去。

凤凰见麒麟飞来，高兴地点头。

凤凰和麒麟分别在女娲的两边，使劲地扇动着翅膀，将笼罩在女娲身边的黑雾驱散掉。

小孽龙急忙张开血盆大口，朝女娲扑来。

女娲突然看见一条黑龙直朝自己扑来，大吃一惊，正欲躲避，凤凰和麒麟猛扑上去。

凤凰朝小孽龙的眼睛啄去。

麒麟朝小孽龙的头上咬去。

小孽龙眼睛被啄，头颈被咬，鲜血淋漓，痛得"嗷"地惨叫一声，卷起一股乌云，逃向无底洞……

女娲长舒了一口气，亲切地对凤凰和麒麟说道："凤凰、麒麟，谢谢你们了！"

凤凰和麒麟鸣叫了一声，朝她点了点头。

它们守护在女娲两旁，为她驱散着身边的滚滚乌云。

女娲擦了擦脸上的汗，又拿起补天石补了起来……

空中。

小孽龙满头是血，他在空中盘旋着，恶狠狠地看着补天的人们，咬牙切齿地说："你们等着，我叫你们补不成！"掉头直往东海龙宫飞去。

东海龙宫。

小孽龙一阵旋风似的来到东海，分开水路，直入龙宫。

东海龙王见小孽龙进来，急问道："小孽龙，你怎么满头是血？"

小孽龙抹去头上渗出的血，愤愤地说："龙王，伏羲和女娲在西方补天，我想去制止，被他们的坐骑咬伤！"

龙王："来呀！给我拿些止血药来！"

一个宫女领命，匆匆拿药去了。

龙王："小孽龙，伏羲和女娲他们在用什么补天？"

小孽龙："我见他们在用河中的石头补天。"

龙王："这伏羲和女娲也真是了得，竟然想到用石头去补天！"

小孽龙："龙王，我们要赶快制止他们，如今他们调动天下的儿孙们，我看这天上的窟窿都补了大半了！"

龙王咬牙切齿地说："伏羲害死了我的宝贝女儿，吃掉了我无数的鱼，屡屡与我作对，我与他不共戴天！"

小孽龙在一旁怂恿道："是啊，这伏羲根本就不把你放在眼里，我也对他恨之入骨！"

龙王："我早就想除掉他，只苦于没有机会！这一次，一定要想办法除掉他们两个，让他的儿孙们群龙无首，到时候这天下还是我们说了算！"

小孽龙高兴地说："龙王，你说怎么办？"

龙王沉吟了一下："你带上一些兵将，变成妖魔鬼怪的模样，别让他们给认出来，不断地去骚扰他们，让他们补不成天！"

小孽龙："龙王，我可带兵将先将他的补天台给弄倒，这样，他们就补不成天了！"

龙王："只要你能让他们补不成天，用什么办法都可以，但要记住一点，别让玉帝知道是我们所为！"

小孽龙："我知道了！"

宫女端着药盘走了进来。

龙王："小孽龙，你将这药敷在头上，即刻就能止血，几日就可好了！"

小孽龙："谢龙王！"说着，拿起药来，涂在自己受伤的地方，头上的血果然不流了。

小孽龙对龙王说道："你给我派兵将吧！"

龙王大声唤道："来呀！"

一个蟹将快步走了进来，"龙王，有何吩咐？"

龙王："你去点上五六个本领高强的兵将，随小孽龙前往西方！"

蟹将："是！"领命而去。

小孽龙高兴地说："有了兵将，我就好行事了！"

龙王："你千万记住，别给我闯祸，若被千里眼和顺风耳发现，你就只有死路一条了，我也救不了你！"

小孽龙："我会小心的！"

蟹将领着几个兵将进来，齐声道："拜见龙王！"

龙王严肃地看着他们，"你们随小孽龙前往西方，想尽一切办法阻挠伏羲和女娲补天，你们都听清楚了吗？"

众兵将齐声道："听清楚了！"

龙王："这几日，你们都得听小孽龙的，不准出任何差错！"

众兵将："是！"

龙王又对小孽龙说："这些兵将暂由你领着，去吧！"

小孽龙一拱手，"谢龙王，告辞了！"说着，带领这六个兵将奔出海面，直朝西方飞去……

西方。夜。

小河边点起了一堆堆篝火。忙碌了一整天的人们纷纷围坐在篝火旁歇息，吃着东西。

伏羲在下面高喊道："女娲，快下来歇息，吃点东西吧！"

宓妃也在伏羲旁边，手做喇叭状，高声叫道："娘，快下来

吧！"

众儿孙们朝女娲叫道："奶奶，快下来歇息吧！"

女娲站在补天台上，刚刚补上一块补天石。

她脸色苍白，形容憔悴，突然听见众人的喊叫声，朝众人笑了笑，吃力地回应道："好，我这就下来！"

女娲朝下看去，见已燃起了堆堆篝火。她又看看自己补了多日的天空，那窟窿已渐渐缩小了，补好的天空五颜六色，分外鲜艳，不禁满意地笑了。

凤凰在一旁静静地等着女娲。

女娲用双手扶着累得酸痛的腰，气喘吁吁地歇息了一会儿。

凤凰走近女娲，用头颈轻轻地挨着女娲。

女娲亲昵地说："凤凰，连日来和我一起补天，你也累了吧？"

凤凰轻轻扇了扇翅膀，"咕咕"地叫了一声。

女娲："好吧，我们也下去吧！"说着，跨上了凤凰，从高高的补天台向河边飞去。

黑压压的人群散满了小河边。

大家坐在篝火旁，兴高采烈地说笑着。

女娲骑着凤凰落在儿孙们身旁。

众人欢呼起来。

女娲笑着和众儿孙打着招呼。

宓妃高兴地跑到女娲面前，见娘神情憔悴，心疼地说："娘，累了吧？"说着，用袖子擦着娘脸上的汗珠。

女娲扶着腰，笑着对女儿说道："娘不累！"

伏羲也赶忙走了过来，心疼地说："快歇歇吧，看你累成这样！"说着，和宓妃一边一个扶着女娲坐在篝火旁。

　　宓妃将一个果子递到娘嘴里，说道："娘，这果子好甜，快吃吧！"

　　女娲笑着，甜甜地吃了起来。

　　伏羲撕了一块烤熟的鱼肉，递给女娲，"这鱼烧熟了好香，快吃吧！"

　　女娲接过，见伏羲和宓妃不吃而看着自己，说道："你们也都吃吧！"

　　伏羲、宓妃和众人才吃了起来。

　　这时，九个部落的首领手里拿着果子和鱼肉，来到伏羲和女娲面前，纷纷说道："爹娘，这是孝敬你们的！"

　　伏羲："你们吃吧，我们这里有！"

　　女娲也说道："孩子们，别光顾给我们吃，你们多吃点，你们也很累的！"

　　白龙氏："我们那边还有很多，你们吃吧！"说着，递给伏羲和女娲。

　　另外几人也纷纷放下食物，"爹娘，你们吃，我们过去了！"

　　伏羲和女娲笑着接下食物，"孩子们，谢谢你们了！"

　　众首领纷纷离去，回到各自的篝火旁。

　　女娲边吃边说："哥哥，今日我在补天台上补天，突然从窟窿里钻出一条黑龙，气势汹汹地朝我扑来，想把我吃掉，幸亏凤凰和麒麟相助，将那黑龙咬伤才使我逃过一劫。"

　　伏羲吃惊地说："还有黑龙作怪？妹妹，你补天可要小心哪！"

　　宓妃惊恐地说："娘，你可要提防那条黑龙！"

　　女娲点了点头，"娘会的！"

伏羲："妹妹，你在上面补天，乌云滚滚，我们在下面这么远什么也看不见。要不，以后就由我来补天吧！"

女娲："你就别上去了，我补天已有经验了，下面也需要你，这么多人，也要人带领！"

伏羲："可是你这样太危险了，我放心不下！"

女娲："没事的，有凤凰和麒麟护着我，放心好了！"

伏羲动情地说："妹妹，这段日子辛苦你了！"

女娲笑道："你不也一样！"

宓妃："娘，要不我和你一起上去，我不怕那黑龙！"

女娲慈爱地看着女儿，"傻孩子，你还这么小，别逞能了，你就和哥哥们在一起炼石吧！"

宓妃撅起嘴，"娘老把我当成小孩，女儿已经长大了，娘从此以后要把我当成大人看！"

女娲笑着不停地点头，"好，好！娘再也不把你当小孩看了，我的宓妃可是一个漂亮的大姑娘了！"

伏羲听了，不由得哈哈大笑起来。

众人围着一堆堆篝火笑着，唱着，闹着，叫着，欢歌笑语响彻山谷。

夜已经很深了，众人也累了，纷纷就地而眠。

夜空。

小孽龙率领六个兵将，飞奔着来到西方的上空，见伏羲和儿孙们睡在河边，狞笑着对几个兵将说："你们看，他们都睡着了，这下可是我们大显身手的时候了，今夜，就看你们的了！"

一个兵将笑道："这个你放心，我们干得多了！"

小孽龙："他们人多，你们不可掉以轻心，千万要小心

了！"

众兵将齐声答应："是！"转身欲去，小孽龙叮嘱："还有，你们下去时，全都变成妖魔鬼怪，别让他们给认出来了！"

众兵将："知道了！"说完，几个兵将摇身一变，瞬间全都变成了妖魔鬼怪，龇牙咧嘴，凶恶可怕，他们直朝小河边的树林里窜去。

小孽龙也化作一股黑雾，窜入林中。

这几个兵将和小孽龙在林中窥视着河边酣睡的人们。

小孽龙一招手，这些变成妖魔鬼怪的兵将猛地扑向熟睡的人群，朝他们咬去。

被咬的五六个人猛地"啊"地惨叫一声。

这叫声惊醒了伏羲、女娲、宓妃、黄龙氏等人。

大家见"妖怪"在吃人，全都爬起来，吼叫着朝"妖怪"追去。

"妖怪"见惊醒了伏羲等人，惊慌奔逃。

伏羲愤怒地大喝一声："妖怪，往哪里跑？"说着，挥起一掌，神力将两个"妖怪"击到数丈之远。

两个"妖怪"见伏羲追来，顾不了伤痛，急忙爬起来窜进林中，转眼不见了。

女娲和宓妃也大喊着朝前追去。

小孽龙跑在最后，见众人全都惊醒，不敢恋战，仓皇而逃。

众人纷纷惊醒，见"妖怪"仓皇逃进林中，急忙起来，拿着木棍、石头，呐喊着朝"妖怪"追去。

林中到处都是火把，然而，"妖怪"却踪迹全无。

小孽龙带着几个兵将化作一团乌云，逃往空中，朝东海奔去。

伏羲和众人在林中没有找到这些"妖怪"，只好和大家回到了河边。

那几个年轻人躺在血泊中，已经死亡。

众人痛哭失声。

女娲和宓妃也站在一旁，见到这凄惨的景象，也哭泣起来。

伏羲沉默良久，心情沉重地说："以后大家睡觉时，可要注意了！"

众人默默地点头。

各部落首领也都纷纷前来，见状，怒火填膺。

白龙氏气愤地说："这伙妖怪肯定还会来的，大家做好充分准备，晚上睡觉要有人把守，不能再让他们害人！"

伏羲问道："这几个被妖怪害死的人是哪个部落的？"

黑龙氏悲痛地说："是我们部落的！"

伏羲："我们大家把他们掩埋了吧！"

众人悲痛地将这几个人的尸体抬起，朝远处走去。

大家挖了一个很大的坑，将这几人的尸体放入坑穴中，然后用土掩埋。

伏羲对众人说道："大家还是歇息去吧！"

黄龙氏："爹，我派人在四周看着！"

伏羲点点头，大声地说："孩子们，你们听着！从今往后，各部落每夜派人轮流看守，不准出任何差错！"

众人齐声道："是！"说完，都纷纷到河边歇息去了。

伏羲和女娲心情沉重地坐在河边，久久没有说话。

伏羲沉默良久，长叹一声："唉，孩子们真是遭罪啊！这日子真的是没法过！"

女娲："是啊！这天上天灾不断，地下又野兽妖魔横行，人

活着真难哪！"

伏羲："不过，无论怎么难，我们都要挺住，不要在孩子们面前表露出来，否则，他们也就失去信心了！"

女娲："这个我知道。"

伏羲："现在最紧迫的就是要先将天补好！"

女娲："我也是这么想，就是拼掉老命，也要把这天补好，让西方的儿孙们先安定下来。"

伏羲："这天补好了，地下裂开的沟壑冒出的浊流还很难办。"

女娲："先将天补好了，再想办法将地里的水堵住。"

伏羲："这事一茬接一茬，我们要做的事真是太多了。"

女娲："幸好我们这些儿孙都还懂事，也都还和睦，见难彼此相帮。"

伏羲点了点头，"是啊，儿孙们这么听话，我也感到很欣慰。"

这时，宓妃轻轻走了过来，"爹娘，时候不早了，你们也歇息吧，明日还要补天呢！"

伏羲对女娲说道："你和宓妃先去睡吧，我再坐会儿！"

女娲点点头，"你也早点歇息吧！"

伏羲："知道了，你们先去吧！"

女娲站起身来，和宓妃歇息去了。

伏羲呆呆地坐在河边，陷入了沉思。

黄龙氏率人在四周巡视着，他走到伏羲身边，"爹，你去睡吧，这里有我们呢！"

伏羲从沉思中醒过来，说道："黄儿，今晚就辛苦你们了。"

黄龙氏："爹，你放心去睡吧！"

伏羲："好，那爹就先去睡了！"说罢，起身朝女娲那边走去。

夜空。

东海海面。

小孽龙本想到龙宫向龙王禀告，突然，他眼珠滴溜溜转了几下，"不行，就这样回去，龙王肯定会怪罪的。"

他对几个兵将说道："我们还是先不要回去，乘着夜色，我们再扰乱他们一下，让他们惊恐不安，睡不好觉，白天干不了活！"

一个兵将："他们现在有了提防，我们去会不会太冒险了？"

另一个兵将："不如明晚再去吧？"

小孽龙眼一瞪，"是我听你们的，还是你们听我的？"

众兵将不再吭声。

小孽龙大喝一声："都给我走！"说着，朝前飞去。

几个兵将敢怒而不敢言，不满地互相看了一眼，跟随小孽龙朝西方飞去。

他们来到西方，摇身一变，变成了几股黑风，直朝河边的人们卷去。

黄龙氏借着小河泛起的光亮，见几股黑风袭来，大叫一声："妖怪又来了！"

巡视的人急忙朝黄龙氏奔来，冲着黑风，用棍棒劈去。

黑风迅速变成几个凶恶的"妖怪"。

伏羲惊醒，急忙骑上麒麟，大叫一声："快，给我追！"

麒麟驮起伏羲，飞快地朝小掔龙他们追去。

小掔龙和几个兵将在空中盘旋，正在伺机反扑。

伏羲骑着麒麟伸出手掌，运起神力，朝几个兵将击去。

几个兵将被神力击向半空，惨叫着摔向林中。

小掔龙见伏羲击倒兵将，怒吼一声，突然变成一条凶恶的黑龙，张开血盆大口，猛地朝伏羲扑去⋯⋯

小孽龙见伏羲击倒兵将，怒吼一声，突然变成一条凶恶的黑龙，张开血盆大口，猛地朝伏羲扑去……

第四章

仙人指路

和劳成疾

伏魔济世

开天辟地

小河上空。夜晚。

小孽龙变成凶恶的黑龙，张开血盆大口，直朝伏羲扑来。

伏羲无所畏惧，运起神力，大叫一声："何方恶龙，竟敢伤我子孙，先吃我一掌！"说着，挥掌全力朝黑龙击去。

一股强劲的神力直击小孽龙头部。

小孽龙惊恐地一偏头，一股神力击中了他的腰部。

小孽龙惨叫一声，被神力击向半空。

麒麟驮着伏羲急追黑龙。

女娲怕伏羲制不住黑龙，急忙对凤凰说："快，上去啄那黑龙的眼睛！"

凤凰猛地展翅，飞向空中，直扑小孽龙。

麒麟和凤凰两面夹击。

小孽龙惶恐地在空中掉头想逃。

　　凤凰迎头追上，猛地朝小孽龙的左眼啄去，小孽龙的左眼珠被啄了出来。

　　小孽龙"嗷"地惨叫一声，化作一股黑雾，朝高空窜去。

　　他借着浓重的夜幕，飞快地逃遁，转眼消失不见了。

　　伏羲骑着麒麟追了很远，直到踪迹全无，才飞回小河边。

　　部落首领们纷纷围上前来，"爹爹，怎么样了？"

　　伏羲："那条黑龙被凤凰啄瞎了左眼，还是让他给逃了。"

　　女娲和宓妃也急急走上前来。

　　女娲："抓住妖怪了吗？"

　　伏羲摇了摇头，"让他跑了。"

　　宓妃："爹爹，另外几个妖怪呢？"

　　伏羲："都跟那黑龙一块逃了，不过，还有两个被我击伤，掉入林中了。"

　　正在这时，白龙氏在林中大喊："我们抓到妖怪了！"

　　一群人朝林中跑去。

　　白龙氏抓着两个被伏羲击伤的"妖怪"，将他们捆绑着，愤怒地边捶打边推搡，来到伏羲面前。

　　伏羲抓住其中的一个"妖怪"，厉声喝问："你们是何方妖孽？竟敢伤我子孙！"

　　两个"妖怪"吓得瑟瑟发抖，一言不发。

　　白龙氏拿着棍棒大喝一声："到底说不说？"

　　两个"妖怪"仍不言语。

　　白龙氏气极，一棍击在一个"妖怪"头上，"妖怪"惨叫一声，倒在地上，现出原形，原来是一只虾精。

　　黄龙氏举起一块石头，对着另一个"妖怪"怒喝："快说！"

　　那"妖怪"急忙现出原形，原来是只蚌精，它吓得连连说

道："我说！我说！我们都是东海龙宫的兵将。"

伏羲怒喝："东海龙宫的兵将为何变作妖怪来此害人？"

蚌精："我们是奉了龙王的旨意，在小孽龙的带领下，前来西方害你们的。"

黑龙氏厉声问道："小孽龙呢？"

蚌精："小孽龙刚才被击伤，逃走了。"

伏羲："原来那条黑龙是小孽龙！"

女娲："那昨日补天之时，在窟窿里钻出来的，定是小孽龙了！"

黄龙氏愤恨地说："又是小孽龙！"

众人纷纷嚷道："打死这作恶的蚌精！打死这作恶的蚌精！"……

众人举起棍棒，纷纷朝蚌精打去。

蚌精顿时被众人砸成一团肉泥。

黑龙氏拿着棍棒仍不解恨地说："可惜让小孽龙给逃了，不然的话，也要将他砸成肉泥！"

伏羲愤怒地看着两个被打死的精怪，久久没有说话。

女娲奇怪地问："那小孽龙不是被锁在泰山无底洞了吗？怎么会跑出来害人呢？"

伏羲："现在我明白了，原来以往屡屡作恶的，都是小孽龙！"

宓妃："爹娘，那我们就到泰山无底洞去，把小孽龙抓来！"

黄龙氏也愤怒地说："对！派人去把他抓来，不然的话，我们补天也不得安宁！"

伏羲："这小孽龙既然能逃出无底洞，我们去抓他，他肯定会逃的。"

黄龙氏："爹，那怎么办？"

女娲："我看只有上奏天庭，禀明玉帝，才能将小孽龙抓获治罪！"

伏羲："对，一会儿我就去天庭，向玉帝禀明，非将小孽龙抓获不可！"

白龙氏："龙王包庇小孽龙，助纣为虐，又指使小孽龙来害人，爹爹，也一并将龙王给告了！"

众人纷纷道："对，也要状告龙王，不能放过他！"

伏羲："孩子们，天快亮了，大家也别睡了，开始炼石吧。"

众儿孙纷纷起来，各就各位，准备炼石、运石。

女娲对伏羲说："还是你一人去天庭吧，我上补天台补天去了。"

伏羲点点头，"我禀明玉帝，就会很会回来的。"他转而对黄龙氏和白龙氏说道："这里暂由你们管着，不能误了补天的大事。"

黄龙氏和白龙氏："放心吧，爹！"

宓妃："爹，你早点回来啊！"

伏羲微笑着点点头。

伏羲骑上麒麟，朝天庭飞去。

女娲也骑上凤凰，飞上了高耸入云的补天台。

众人在黄龙氏和白龙氏的指挥下，热火朝天地干了起来。

灵霄宝殿。

众天神纷纷走进宝殿，分列两旁。

玉皇大帝慢慢走上宝座，威严地端坐着，扫视着众天神。

玉皇大帝："伏羲和女娲他们补天，补得怎么样了？"

千里眼上前，拱手道："窟窿已补了大半。"

顺风耳："估计不用很多时日，就可补好了。"

玉皇大帝高兴地说："这伏羲和女娲不但给天下万民造了福，也给我们天庭做了一件好事！"

雷神上前禀道："玉帝，我众儿孙补天，辛苦至极，却有小孽龙常去骚扰作恶，请玉帝明查！"

玉皇大帝："嗯？还有这等事！"他转而对驱妖神问道："驱妖神！"

驱妖神慌忙出列，拱手道："小神在！"

玉皇大帝："小孽龙不是被你锁在泰山无底洞了吗？"

驱妖神："是啊，我已经将他锁牢了。"

玉皇大帝："为何雷神说他出来残害生灵？"

驱妖神："这我就不知道了，也许是雷神看错了吧。"

雷神怒目圆睁："谁看错了？我堂堂雷神，还能将小孽龙看错吗？"

玉皇大帝："你们都别争了。千里眼、顺风耳，你们两个去查看一下，小孽龙是不是锁在泰山无底洞！"

千里眼和顺风耳领命而去。

伏羲匆匆走进灵霄宝殿，对玉皇大帝拱手，高声说道："玉帝，我要状告龙王！"

玉皇大帝："伏羲，你为何要告龙王？"

伏羲："龙王怂恿小孽龙，扰我补天大事，昨晚吃掉我五六个儿孙。"

玉皇大帝："你可看清楚了，是小孽龙？"

伏羲："千真万确！我还和他搏斗了一番！"

千里眼和顺风耳急急走进。

千里眼上前拱手："玉帝，小孽龙现在无底洞内。"

驱妖神脸上露出一丝笑意，不满地看了雷神一眼。

顺风耳："小孽龙确实在无底洞，并没有到别处去！"

玉皇大帝："伏羲，你是不是看错了？"

伏羲急忙说道："玉帝，绝对没有错！他第一次带领六个兵将变作几个妖怪，吃掉我们五六个人，被我们赶跑。后来，没过多久，他又领着那几个兵将飞回，借着黑夜的掩护，又想吞吃我们的人，被我们发现，我将他击伤，凤凰啄瞎了他的左眼，不信，你可再命他们去查看！"

玉皇大帝："既然伏羲说得有证有据，千里眼、顺风耳，你们这次可要仔细查看清楚了，看小孽龙是不是瞎了左眼。"

千里眼和顺风耳齐声道："是！"急忙出殿而去。

空中。

千里眼和顺风耳驾着祥云，飞临泰山无底洞上空。

千里眼仔细看去，见小孽龙左眼鲜血淋漓，左眼果然瞎掉了。

顺风耳侧耳仔细听去，听见小孽龙痛苦的呻吟。他对千里眼说道："小孽龙眼睛瞎了，他正在哼哼呢！"

千里眼："我也见他眼睛流血，左眼果然瞎了。"

顺风耳："那你快看看他被锁链锁住了手脚没有。"

千里眼仔细看去，那锁链丢在一旁。对顺风耳说道："没锁住，锁链丢在一旁，不知他是怎么挣脱的。"

顺风耳："那我们赶快回去禀报吧。"

两人驾起祥云，直飞天庭。

灵霄宝殿。

千里眼和顺风耳急匆匆走进宝殿。

　　玉皇大帝："千里眼、顺风耳，你们查到什么了吗？"

　　千里眼上前拱手道："那锁链丢在一旁，小孽龙坐在洞口直哼哼。"

　　顺风耳也上前拱手道："玉帝，那小孽龙果然瞎了左眼！"

　　众天神窃窃私语。

　　驱妖神站在一旁，脸露惊恐之色。

　　雷神狠狠地睨视着驱妖神。

　　伏羲大声禀道："玉帝，我没说假话吧？"

　　雷神也上前，大声说道："玉帝，驱妖神有不可推卸的责任！"

　　玉皇大帝大为震怒，"驱妖神，这是为何，给我说清楚！"

　　驱妖神趋步上前，神色慌张地说："玉帝，我明明把他锁得紧紧的，不可能让他挣脱啊！他一定用了什么法术，挣脱了锁链？"

　　玉皇大帝怒拍龙案，"你竟敢狡辩，你那锁链是干什么用的？你又是干什么的？"

　　驱妖神哆嗦着，"我……我……"

　　玉皇大帝："驱妖神，你可如实说来，我可暂且饶你，你若有半点隐瞒，我定不轻饶！"

　　驱妖神："是龙王说情，使我没有将小孽龙锁紧，我以为他受此重罚，不再会去作恶，所以心生仁慈。"

　　玉皇大帝大怒，"你竟敢和龙王串通一气，助虐小孽龙，你可知罪？"

　　驱妖神哆嗦着，"小神知罪！"

　　玉皇大帝："将驱妖神押下去，重责五十杖！"

　　驱妖神吓得面色苍白，浑身哆嗦。

　　两个天神上前，将驱妖神押了下去。

　　玉皇大帝又大声唤道："传旨，召东海龙王速来天庭见我！"

　　一个天将领命，匆匆离去。

　　玉皇大帝大声唤道："天兵天将！"

　　几个天兵天将上前。

　　玉皇大帝："你们速去泰山无底洞，捉拿小孽龙！"

　　众天兵天将答应一声，转身快步离去。

　　伏羲："龙王怂恿小孽龙，多次伤我子孙，又布与洪水，又偷抢太阳，屡屡与我为难，这一次，请玉帝一定将龙王治罪！"

　　玉皇大帝："等我问明原因，再治罪不迟！你和女娲炼石补天，做了一件大好事！碰到什么难事，可随时禀报予我！"

　　伏羲："谢玉帝！如今最紧迫的，就是要制止龙王、小孽龙骚扰我们补天。"

　　玉皇大帝："伏羲，你放心，我会公正处置此事！"

　　龙王匆匆走了进来，"玉帝，臣领旨前来！"

　　玉皇大帝威严地说："龙王，你怂恿小孽龙骚扰伏羲女娲补天，可有此事？"

　　龙王一听，吓得"扑通"一声跪倒在地，"玉帝，这可是冤枉我啊，小孽龙现已被关在泰山无底洞内，我怎么可能怂恿他去骚扰呢？"

　　伏羲："龙王，你竟敢说没有？你派小孽龙和兵将伤害我子孙，又让小孽龙屡屡阻止补天，难道是假的吗？"

　　龙王对玉皇大帝说道："玉帝，绝对没有此事。我与伏羲素有芥蒂，我不否认，可我绝没有指派小孽龙和手下去阻止补天！"

　　玉皇大帝："你敢保证？"

　　龙王心虚地说："我……我敢保证！"

伏羲轻蔑地说："你敢保证，我已抓住了你的兵将，他们已供认不讳，你想对证吗？"

龙王冷汗直流。

玉皇大帝："龙王，你竟敢在我面前百般狡辩！"

龙王不敢再言语了。

玉皇大帝威严地说："龙王，你买通驱妖神，怂恿小孽龙，派手下去扰乱补天，有这事吗？"

龙王面色苍白地说："玉帝，请听我详细说来！"

玉皇大帝大声地说："那你说！"

龙王："我只是念及小孽龙曾做我东海镇海将军，有过功劳，所以请驱妖神不要将小孽龙锁得太紧，并未曾要他不锁小孽龙。"

玉皇大帝："你明明知道小孽龙脱出锁链，非但知情不报，还怂恿小孽龙为非作歹，伤及伏羲子孙，扰乱补天大事，你可知罪？"

龙王："臣知罪！"

玉皇大帝："来呀！将他押下去，杖责二百！"

龙王惊恐地哀求道："玉帝，我这一大把年纪了，饶了我吧。"

玉皇大帝："杖责二百已算是轻饶了你，如发现你再行恶事，灭你九族！"

龙王哆嗦着，"谢……谢玉帝！"

两个天兵天将上前，将龙王押了出去。

伏羲："玉帝秉公执事，伏羲在此谢过了！"

玉皇大帝点点头，问道："你还有其他要事吗？"

伏羲："补天正忙，须臾不得耽误，我得赶快去了！"

玉皇大帝："补天乃天地之大事，你快去吧！"

伏羲拱手告辞而去。

泰山无底洞。

五六个天兵天将驾着祥云，飞向泰山无底洞。

小孽龙远远见天兵天将来捉拿自己，急忙化作一股黑烟，朝海面窜去。

他窜入海底，霎时不见了。

天兵天将来到无底洞，见锁链被扔在一旁，小孽龙不见踪迹，急忙四处搜寻，一无所获，只好驾着祥云，回天庭复命去了……

小河边。

伏羲骑着麒麟出了南天门，直朝小河边飞来。

他在空中对站在补天台上的女娲大声说道："妹妹，玉帝已惩治了龙王和小孽龙！"

女娲高兴地说："我听见了！"

伏羲："我去河边了！"

女娲大声答道："快去吧！"

伏羲骑着麒麟来到小河边。

众人纷纷围上来，问道："爷爷，怎么样了？"

伏羲高兴地说道："玉帝已派天兵天将去捉拿小孽龙了。"

众人大声叫好。

黄龙氏："爹，那龙王呢？"

伏羲："那龙王被杖责二百。"

黄龙氏不解气地说："玉帝还算轻饶了他！"

伏羲："大家别停下来，快炼石吧。"

众人欢快地忙碌起来，运水运石。

　　长长的人流从河边一路传送着补天石，运上高耸入云的补天台。

　　伏羲指挥着儿女们搬运着补天石。

　　高高的补天台上黑雾弥漫。

　　女娲搬起补天石，飞离补天台，她不停地飞上飞下，用一块块补天石补着那个窟窿。

　　虽然她被乌云笼罩着，但仍不停歇地补着，窟窿越来越小。

　　女娲站在补天台上，累得筋疲力尽。

　　她搬起一块补天石，身体有些摇摇晃晃，但她还是飞身使劲地将这块石头补了上去。

　　女娲累得气喘吁吁，她扶着酸痛的腰，欣慰地看着越来越小的窟窿，擦着脸上的汗，高兴地笑了。

　　一块块补天石堆满了补天台，女娲歇了歇，决心一鼓作气，将这小小的窟窿补完，她又强打起精神，搬起一块补天石，飞了上去。

　　堆在补天台上的补天石被一块块补了上去。

　　窟窿只剩下小小的一点了，只有一小股乌云窜出。

　　女娲搬起一块补天石飞了上去，将那一小块窟窿补上，乌云顿时不见了。

　　那巨大的窟窿变成了五彩缤纷的天空。

　　伏羲和众儿孙激动得热泪盈眶，大声欢呼："天补好了！天补好了！"……

　　欢呼声响彻云霄，在天空和大地久久回荡着，回荡着……

　　女娲站在高高的补天台上，看着五彩的天空，欣慰地笑了。突然，她头晕目眩，双腿发软，双手扶着头，缓缓地倒在了补天台上。

　　旁边的凤凰发出一声凄厉的叫声。

窟窿只剩下小小的一点了，只有一小股乌云窜出。

女娲搬起一块补天石飞了上去，将那一小块窟窿补上，乌云顿时不见了。

那巨大的窟窿变成了五彩缤纷的天空。

众人见女娲倒在补天台上，大声惊呼："娘——""奶奶——"

宓妃痛哭失声，大声叫着："娘，你怎么了？"

各部落首领也大声呼唤："娘，娘——"

伏羲惊呆了。

身旁的麒麟用角拱了拱他的手，伏羲猛醒过来，大叫一声："妹妹——"跨上麒麟，直朝补天台飞去。

众人含泪静静地看着，眼睛睁得大大的。

麒麟驮着伏羲飞快地来到补天台，他下了麒麟，急忙扶起女娲，大声地呼唤着："妹妹，你怎么了？你醒醒啊！"

女娲面色苍白，紧紧地闭着眼睛，不省人事。

凤凰用翅膀在女娲的身边轻轻地摩挲着，发出一阵阵哀鸣。

伏羲轻轻地呼唤着女娲，女娲却紧闭着美丽的双眼，没有回答。

伏羲哽咽地说："妹妹，为了补好天空，把你累成这样！……"

女娲静静地躺在伏羲的怀里，一动不动。

儿孙们在下面高声叫着，哭喊着："娘、娘——""奶奶、奶奶——"

伏羲流泪道："妹妹，你听，孩子们都在叫你呢，你听见了吗？"

女娲仍一动不动。

伏羲含着泪，缓缓抱起女娲，跨上麒麟，朝河边飞来。

麒麟缓缓地落在河边。

伏羲抱着女娲，下了麒麟，轻轻地将她放在草地上。

宓妃痛哭着扑在娘的身旁，大声叫着："娘，你怎么了？你醒醒呀！"……

九个部落的首领纷纷赶了过来，围住女娲，跪在女娲面前，哭喊着："娘，娘，你睁开眼睛看看我们吧！"……

众人蜂拥着围了上来，痛哭失声。

伏羲站在一旁，默默地流着眼睛。

太阳穿破云层，普照着大地，西方的天空明亮起来。

那坍塌的巨大窟窿之处五彩缤纷，放射出夺目的光芒。

女娲静静地躺着。

儿女们肃穆地望着女娲。

宓妃泪流满面，轻轻地在女娲耳边说着："娘，快看，太阳出来了，你补的天空多漂亮啊！娘，你快睁开眼睛看看吧！"

女娲眼睛动了动。

宓妃惊喜地叫道："娘、娘——"

众人也惊喜地叫着："娘、娘——""奶奶、奶奶——"

女娲缓缓地睁开眼睛。

宓妃高兴地大叫："娘醒了，娘醒了！"

众人含泪笑了。

伏羲赶忙俯下身，指着补好的天空，含泪说道："妹妹，你看那天空，多漂亮啊！"

女娲朝天空吃力地望去，五彩斑斓的天空在太阳的照射下发出璀璨的光芒。

九个部落首领纷纷说道："娘，这天空补得真是太美了！""娘，你辛苦了！"……

女娲仔细地看着自己补好的天空，轻轻地摇了摇头。

宓妃："娘，你不喜欢吗？"

女娲吃力地说道："娘虽然将这天空补好了，但怕它还会塌啊！"

伏羲急忙问："妹妹，那怎么办？"

女娲艰难地说："哥哥，你去找一只乌龟，用它的四条腿来撑天吧！"

伏羲点头："妹妹，你等着，我去找只乌龟来！"说着，急忙朝河边走去。

伏羲走进河里，仔细寻找着，在浅水中看见一只乌龟。

伏羲高兴地将它抱起，走上岸，来到女娲身旁。

女娲高兴地点了点头。

伏羲心情沉重地对乌龟说道："乌龟啊，为了天下的儿孙，请你帮帮我们，只有用你的腿来撑住这天，才能不让它坍塌！"

乌龟看着伏羲，眼中噙着泪。

伏羲用手托起乌龟，猛地将它的四肢拔下，朝天空扔去。

四道金光直向四方飞去，变成又粗又大的四根巨柱，撑向天的四角，牢牢地把天空顶住了。

（从此以后，乌龟的脚就再也没有长长过。乌龟镇宅由此而来。）

灵霄宝殿。

雷神兴冲冲地走进灵霄宝殿，对玉皇大帝说道："玉帝，伏羲女娲已将天补好，是否去看看？"

玉皇大帝高兴地说："好，去看看这炼石补出来的天是啥样的！"

玉皇大帝下了宝座，朝外走去，众天神紧随其后。

玉皇大帝和众天神出了南天门，驾着祥云，朝西天方向飞去。他们降落在不周山上，朝天空看去，只见那补好的天空五彩缤纷，光彩夺目。

众天神啧啧称奇，竖起大拇指。

玉皇大帝高兴地说："女娲真是心灵手巧，将天补得真好

看！"

雷神自豪地说："我这儿女真是好样的！"

玉皇大帝称赞道："你这女儿和儿子还真有些本事！"

雷神高兴得不由哈哈大笑起来。

玉皇大帝看着补好的天空，满意地和众神朝天庭飞去。

西方部落。

女娲补好天后，一病不起。

天空补好了，但裂开的巨大沟壑，不断地涌出浊流，泛滥成灾。

伏羲对躺在茅屋里的女娲说道："这不周山裂开之后，水不断地往外冒，必须将它堵住，才能保西方的孩子们平安！"

女娲点了点头，"孩子们现在怎么样了？"

伏羲："都还没走，我准备叫他们将那沟壑填住。"

女娲问道："你准备怎么填那沟壑？"

伏羲："我准备用芦草烧成灰去堵。"

女娲："这样行吗？"

伏羲："我砍了一些芦草试过了。"

女娲："我看用芦草可能还不够，不如召集孩子们用石头，用树木去填，这样就可以将那又大又深的沟壑堵住了。"

伏羲点了点头，"妹妹，你不要操心了，这事就交给我来办吧，你安心养病吧！"

女娲："哥哥，你不要太劳累了！"

伏羲笑道："这点累算不了什么，你放心好了！"

夜晚。

伏羲一个人静静地坐在河边，他冥思苦想着怎样治理水患。

突然，一个白发苍苍的老头走到他的面前。

伏羲猛然抬头，惊愕地望着老人，问道："仙翁，你是谁？"

老人微笑地看着伏羲，说道："我是这里的土地神。"

伏羲急忙站起来，向老人作揖，"伏羲有礼了！"

土地神急忙道："不必多礼！"

伏羲："仙翁，有何指教？"

土地神："我知道你遇上了难题。"

伏羲点了点头，"是啊，这水患祸及我的儿孙，我为此忧虑不安！"

土地神笑道："我就知道你为此而苦恼，特地来给你指点迷津！"

伏羲大喜，"多谢土地神！"

土地神："对面山上有一个藏经洞，只要你进了洞内，就知道该怎么做了！"

伏羲惊喜地说："太好了，多谢土地神指点！"说着，朝土地神深深一拜。

土地神扶起伏羲，拿出一块美玉，"这玉你用得着！"说着，递给伏羲。

伏羲接过美玉，正想详细问问，眼前突然白光一闪，土地神倏然不见了。

他捧着美玉，感激地朝土地神消失的地方拜了三拜，起身就往对面山上走去。

伏羲借着月光，爬上了半山腰，仔细搜寻着洞口。

突然，他发现了一个很大的洞穴，里面有些光亮。

伏羲摸索着走了进去。

石洞内布满了奇怪的石头，有的像马，有的像牛，有的张牙

舞爪的，什么都不像。

伏羲沿着弯弯曲曲的石洞朝前小心地走着。

面前出现了一个又高又陡的石壁，石壁上有两扇紧闭的石门，门上悬着一把大石锁。

伏羲看着大石门，光亮突然消失了，眼前一片漆黑。

他用手不停地摸索着，正在犯愁怎样打开大石锁。突然，手中的美玉闪闪发光。

伏羲脑中灵光一闪，急忙用美玉往锁眼一塞。

"吱呀"一声，两扇石门慢慢地打开了。

伏羲走进石门，只见里面还有一间高大的石屋。

石桌上有一块相同的美玉闪闪发光。

他惊喜地走过去，把美玉拿在手里，仔细端详起来。

突然，一声吼叫传来，一只怪兽虎视眈眈地看着伏羲，眼睛在黑暗中闪着亮光。

伏羲警惕地看着怪兽。

怪兽扑了过来。

慌忙之中，伏羲将那块美玉朝怪兽掷去。

那怪兽一口接住美玉，吞了下去。然后，竟驯服地趴在地上。

伏羲壮着胆子，骑在了它的背上。

怪兽扬起四蹄朝洞外奔去，伏羲只听耳边呼呼生风。

怪兽将伏羲送到悬崖边的一个石洞口。

伏羲下了怪兽，朝洞内走去。

怪兽守在洞口，目光如炬，朝洞内射出两束金光。

伏羲借着光亮，走进石洞。

只见在石桌上放着一块竹片。

伏羲拿起竹片仔细看了起来。上面刻着：疏之导之，百川归

海。

伏羲幡然醒悟，明白了要根治水患，一定要疏蓄兼备。

他惊喜地朝洞口走去。

怪兽驯服地趴在地上。

伏羲跨上怪兽，怪兽驮着伏羲，飞也似的沿原路返回……

茅屋内。

伏羲兴冲冲地走进茅屋，大叫着："找到了！找到了！"

女娲和宓妃奇怪地看着伏羲。

宓妃："爹爹，什么找到了？"

伏羲："我找到了治理水患的办法！"

女娲高兴地问："真的吗？"

伏羲拿出竹片，高兴地递给女娲，"你看！"

女娲接过，仔细看了起来。看完，惊喜地问道："你这是从哪找来的？"

伏羲："我是从附近的藏经洞里找来的。"

女娲："藏经洞？"

宓妃："从来没有听说过这附近有藏经洞的。"

伏羲："是啊，我也没听说过，是土地神指点我去找的，不过还真难找！"

宓妃："爹爹，这藏经洞在什么地方？"

伏羲："就在这对面的山洞里。"

女娲："这下好了，我们就按这上面说的去做。"

伏羲兴奋地说："只要将这水患根治了，天下的儿孙们就好过了！"

小河边。

各部落首领齐聚在一起，听着伏羲讲话。

伏羲大声说道："现在天空已经补好，地下沟壑还洪水泛滥，大家要齐心协力将这沟壑填平！"

黄龙氏："爹爹，沟壑怎么填呢？"

伏羲："填这沟壑可用芦草、石头、树枝、泥土等东西去填。只是这沟壑中涌出的洪水到处泛滥，我们一定要想办法制服它，不让它肆虐！"

白龙氏发愁地说："这洪水到处都是，怎么制啊？"

伏羲："今日召集大家来，就是为了这事，我已经有了治理它的办法！"

黑龙氏："爹爹，什么办法？"

伏羲："只要我们将这洪水疏入河道，导入大海，洪水就不再泛滥了！"

众人高兴地说："这个办法好！"

伏羲："孩子们，这洪水虽然给我们带来了灾难，但是只要我们疏导它，就能为我们造福，给我们灌溉五谷，为我们所用，我们要是修了长长的河道，天下各部落的人就都能受益了！"

众人兴奋地议论纷纷。

黄龙氏："这可太好了！"

白龙氏："想不到这洪水治理得好，还能给大家造福！"

赤龙氏："爹爹想得真周到！"

黑龙氏："爹爹，那我们快干吧！"

……

伏羲："你们要带好各部落的人，先将这沟壑填平，再准备开挖河道！"

众人齐声道："好！爹爹，你快领着我们干吧！"

白龙氏站起来，对兄弟们真诚而感激地说道："各位兄弟，

你们为了我们西方部落，受了这么多累，我白龙氏谢谢大家了！"

黄龙氏："白弟，一家人说这些干啥？"

黑龙氏："你就别这么客气了！"

青龙氏："大家是兄弟，这是应该的！"

其余众兄弟也纷纷说道："兄弟相帮，这是理所当然！"……

白龙氏感动地热泪盈眶，"兄弟们的恩情，我白龙氏永远铭记在心！"

伏羲高兴地看着儿子们，说道："你们能这样想，爹爹非常高兴。孩子们，我们就抓紧时间干吧！"

茅屋内。

女娲的病情又加重了。

伏羲着急地在一旁踱来踱去。

宓妃给女娲喂着水，"娘，多喝点水吧！"

女娲："孩子，这些时日辛苦你了！"

宓妃："娘，看你说哪的话，照顾娘是应该的！"

伏羲停住脚步，忧虑地看着女娲，"妹妹，你感觉好些吗？"

女娲见伏羲担心自己，安慰道："我没事的，你不要为我操心了，还是安心忙你的去吧！"

伏羲："你病成这样，我怎能安下心来？"

宓妃对伏羲说道："爹爹，我去昆仑山请药仙吧！"

女娲："不必了，慢慢就会好起来的。"

伏羲："还是让宓妃去吧，生病了不吃药怎么能行呢？"

女娲："孩子一个人去，我不放心。"

宓妃：“娘，我已经不小了，你别把我当成小孩了。”

伏羲：“就让宓妃去吧，她已经长大了。”

女娲想了想，"那好吧。"

宓妃高兴地亲了娘一下。

女娲笑道："宓妃，你骑着凤凰去吧，这样快些。"

宓妃："好！我也可以骑着凤凰上天了！"

伏羲叮嘱道："宓妃，你一路上可要小心了，不要贪玩！"

宓妃："爹，你别担心我，我会很快请来药仙，要他给娘医病的。"

伏羲："你见到药仙，请代我和你娘向他问好。"

宓妃："我知道了。"

女娲："孩子，路上你要自己照顾好自己啊，你是一个女孩子，千万要小心啊！"

宓妃："娘，你放心吧，我会的！"

伏羲："早去早回啊！"

宓妃依依不舍地说："娘，我走了，你可要多保重啊，我会很快回来的！"

女娲微笑地点了点头，"孩子，娘说的话你千万要记住啊！"

宓妃点了点头，"娘，我记住了！"说完，和伏羲走出了茅屋。

伏羲打了一声呼哨。

凤凰飞落在他们面前。

伏羲慈爱地对宓妃说道："孩子，此去山高路远，爹不能陪你去，路上多小心啊！"

宓妃跨上凤凰，"爹，我知道了！"

伏羲对凤凰说道："凤凰，你带着宓妃去昆仑山，找到药仙

后速回！"

凤凰点了点头。

伏羲："去吧！"

凤凰驮着宓妃腾空而起。

宓妃含泪朝伏羲挥着手，越飞越远。

伏羲也含着泪挥手，目送着女儿远去……

小河边。

黑压压的人群站满了河边。

人们手中拿着石锄、石斧等工具，倾听着伏羲讲话。

伏羲大声说道："这沟壑又大又深，大家按我刚才分工的去做。用芦草、树木、石块将这沟壑填平。然后，再用河中的鹅卵石熔炼成块，一定要填平这沟壑！大家明白了吗？"

众人齐声说道："明白了！"

伏羲："好！那大家就分头开始干吧！"

众人领命，纷纷带领各部落的人，上山砍伐树木，搬运石头。

黄龙氏带领自己部落的人，又开始炼石。

众人欢快地干着，把巨大的石块推进深深的沟壑。

人们在伏羲的指挥下奔忙着……

空中。傍晚。

宓妃骑着凤凰在空中飞着，离昆仑山已经不远了。

前面出现一座高高的大山，名叫乌龙山。

宓妃饥渴难耐，对凤凰说道："先在这里歇歇吧，找点东西吃！"

凤凰点了点头，飞落在山顶上。

宓妃下了凤凰，朝山顶打量着。只见山上鲜花遍地，古木参天，猿啼蝉鸣，飞瀑流泉。

宓妃高兴地朝一棵大树下跑去。

大树上结满了一个个鲜红的果子，挂满果子的枝头垂了下来。

宓妃在树下踮起脚，摘着果子，边摘边吃。

她又招来凤凰，将甜甜的果子喂给凤凰吃。

小孽龙逃脱了天兵天将的追杀，躲在这座山上的一个石洞里。

他见凤凰飞来，又驮着一个漂亮的女孩，心想，这肯定是伏羲和女娲的女儿宓妃了。他"嘿嘿"冷笑一声："今日我要叫你有来无回！"

第五章

宓妃寻药

途中遇险

开天辟地 伏魔济世

　　乌龙山。傍晚。

　　小孽龙在空中盘旋了一圈，狞笑着从空中飞落在林中，瞬间变作了一个英俊的后生，他远远地朝宓妃走来。

　　凤凰警觉地朝宓妃鸣叫了一声。

　　宓妃抬头看去，见一个英俊的后生朝自己这边走来，急忙起身。

　　小孽龙来到宓妃面前，笑着问道："姑娘，天都快黑了，你怎么一个人在这里呀？"

　　宓妃警觉地问："你是谁？"

　　小孽龙笑道："我就住在离这不远的地方，出来走走，不曾想，碰到姑娘。"

　　宓妃惊奇地问道："你住在这里？"

　　小孽龙："这里不好吗？"

宓妃："谁说这里不好，我是说你住在这里不怕吗？"

小擘龙："怕什么？我一个大男人，有什么好怕的？"

宓妃放下心来，"这里的景色真美啊！"

小擘龙："那当然，否则我也不会住在这里了。"

宓妃："这里和我们的宛丘一样美。"

小擘龙："你们宛丘美是美，但是我们这山上，可有好吃的呢。"

宓妃高兴地问："这山上都有什么好吃的？"

小擘龙："有好多种类的果子，又红又甜，可好吃了！"

宓妃："离这儿远吗？"

小擘龙："不远，就在前面。姑娘如果喜欢，我带你去摘吧。"

宓妃："好啊！"转而一想，对小擘龙说道："不行啊！我还要赶路呢！"

小擘龙："姑娘走了这么远的路，肚子也饿了，也该吃点东西了。正好我有空，带你去多摘些果子，也好在路上吃，也不会耽误多少时间！"

凤凰不停地在后面扯着宓妃的衣裙。

宓妃："我还有急事呢，不能在此久留！"

小擘龙："姑娘这么匆忙，到底有什么事呢，需要我帮助吗？"

宓妃："谢谢你了，你帮不上忙的。"

小擘龙笑道："看来姑娘是信不过我了？"

宓妃："不是不是！我不是这个意思！"

小擘龙："能告诉我吗？"

宓妃："我娘病重，我要去昆仑山找药仙，给我娘治病！"

小擘龙假装同情地说："哦，原来是这样！我家里就有一些

灵丹妙药，不轻易送人的。"

宓妃高兴地说："真的？"

小孽龙："我还会骗你？你告诉我你娘得了什么病。"

宓妃哀伤地说："我娘补天，积劳成疾，病得很厉害，如今一病不起，真急人哪！"

小孽龙："你娘这病只需让她恢复元气，服了我的补气养生丸，很快就会好的。"

宓妃兴奋地说："那真是太好了！"

小孽龙："姑娘如果不介意的话，可随我前去取药。"

宓妃不假思索地说道："好啊！"说着，欲随小孽龙走。

小孽龙见宓妃中计，心中窃喜。

凤凰紧紧咬住了宓妃的衣裙。

宓妃有些不解地看着凤凰，"凤凰，你这是怎么了？"

凤凰将宓妃的衣裙直往后拖。

宓妃："难道你不想我娘的病快些好吗？"

凤凰只是使劲地拖住宓妃。

小孽龙急忙上前，说道："姑娘，快走吧，天色已晚，拿了药丸，你还要赶路呢！"

宓妃："那好吧！我随你去。"随后又对凤凰说道："凤凰，你跟我一起去吧。"

凤凰无奈，只得跟在宓妃后面。

小孽龙兴冲冲地走在前面，不时回头招呼着宓妃："姑娘，快点，前面就到了！"

宓妃加快脚步，朝前走去……

小河边。

伏羲指挥着众人，挥汗如雨地引导大家填着沟壑。

众人纷纷扛着粗大的树木，吆喝着扔进沟壑。

白龙氏部落的人抬着石头，滚入沟壑。

黑龙氏指挥着自己部落的人在烧芦草，将芦草烧成的灰烬填进沟壑。

黄龙氏命人将熔炼的一块块鹅卵石填进沟壑。

沟壑慢慢被填平了，浊流不再冒出来了。

众人兴奋地大叫着："沟壑填平了！沟壑填平了！"……

伏羲高兴地看着，脸上露出了欣慰的笑容。

伏羲召集各部落首领到河边议事。

众人陆续来到。

伏羲对众人说道："这些时日，大家辛苦了！"

儿子们："爹爹你也一样辛苦！"

伏羲："如今天也补好了，地上的沟壑也填平了，地面上的积水却还在泛滥，我们现在要疏导这些积水！"

白龙氏："洪水泛滥多日，地上坑坑洼洼的，积了不少的水，要将这水引入河道，再入东海，又要花费不少时日了。"

黑龙氏："就按爹原先说的干吧！"

伏羲大声地说："各部落首领，你们带领自己的人，听我的指挥，跟着我干吧！"

众人齐声响应。

乌龙山山腰。傍晚。

小孽龙前头领路，骗宓妃朝密林深处走去。

宓妃看着夜幕降临，"大哥，还有多远哪？"

小孽龙："前面就到了。"

宓妃轻快地走在小孽龙身后。

凤凰紧紧跟随。

　　小孽龙转了一个弯，见宓妃没有跟上，急忙吹出一口黑气，前面突然出现了一座茅屋。

　　宓妃跟了上来。

　　小孽龙指着前面的茅屋说道："姑娘，我就住在那儿。"

　　宓妃打量了一下远处的茅屋，"你一人住在这里不怕吗？"

　　小孽龙笑着说道："怕什么？这里风景这么好，我喜欢都来不及呢！"

　　宓妃："那倒也是，你这里可真漂亮！"说着，又和小孽龙朝前走去。

　　小孽龙来到茅屋前，伸出手："姑娘，请吧！"

　　宓妃走了进去。

　　凤凰在门口左右看着，没有进去。

　　小孽龙对凤凰说道："凤凰，你也一块进去吧。"

　　凤凰没有理他，在门外到处走着，看着。

　　宓妃在茅屋里四处打量着。

　　小孽龙："姑娘，请坐。"

　　宓妃："不了，你快给我药吧，天不早了！"

　　小孽龙阴笑着说："不急，既然来了，就多坐一会吧。"

　　宓妃："你给我药吧，我来日会感谢你的，今日实在是太晚了。"

　　小孽龙"嘿嘿"笑道："姑娘，你就别走了，今晚太黑了，明日再走也不迟啊！"

　　宓妃惊愕地问："你这是什么意思？"

　　小孽龙："我是怜惜你嘛！"

　　宓妃感觉不对，"你既然不想给药，那我就走了！"说着，转身就朝门外走去。

　　小孽龙急忙抢先一步将门关上，眼中露出淫光，"你想走，

没这么容易！"

宓妃大惊，"你想干什么？"

小孽龙淫笑道："干什么？我想让你陪陪我。"

宓妃怒喝："你走开，让我出去！"

小孽龙："你既然进来了，就别想出去！"

宓妃："你是谁？为什么要害我？"

小孽龙冷笑道："实话告诉你吧，我就是你爹娘的仇家。"

宓妃大惊，"你……你……你是小孽龙？"

小孽龙逼上一步，得意地说："你算猜对了！"

宓妃害怕地说："你想怎么样？"

小孽龙："你们害得我无处可逃，又弄瞎了我一只眼睛。我正要找你的爹娘算账呢，不想，你倒自己找上门来了！"

宓妃向后退去，"你别靠近我！"

小孽龙："今日你落到了我的手里，就别想出去了！"

宓妃："小孽龙，我告诉你，若让我爹娘知道，他们定不会饶你的！"

小孽龙冷笑道："连玉皇大帝都奈何不了我，你爹娘算什么？"说着，又逼近几步。

小孽龙："看你这么漂亮，就让我先享受享受，明日我再杀了你！"说着，猛地朝宓妃扑去。

宓妃害怕地大喊："凤凰，快来救我！"

小孽龙现出原形，吹出一口黑气，茅屋不见了。

他卷起宓妃，化作一股黑雾，朝远处的石洞飞去。

凤凰正着急地来回走着，猛然听见宓妃的呼救，转眼一看茅屋霎时消失了，又见小孽龙现出原形，化成一团黑雾，朝山腰的石洞飞去。

凤凰急忙腾空而起，朝小孽龙追去。

　　小孽龙见凤凰追来，知道凤凰的厉害，他急忙窜入石洞，顺手将几块石头堵在洞口。

　　凤凰在石洞外扑扇着翅膀，发出一声声尖厉的鸣叫……

　　茅屋内。

　　女娲躺在石床上，正梦到一个妖怪将女儿抓住，她从梦魇中惊醒过来，吓出了一身冷汗。

　　外面，众人正干得热火朝天，不时传来欢快的吆喝声。

　　女娲脸色苍白，闭了闭眼睛，突然感觉胸口疼痛，然后剧烈地咳嗽起来，一口鲜血吐了出来。

　　她喘息着，无力地躺在石床上，心里惦记着女儿，喃喃地说道："宓妃，你去了这么久，怎么还不回来啊？"

　　乌龙山石洞内。

　　小孽龙将宓妃掳进石洞，将几块石头堵在洞口。

　　然后他将宓妃扔在地上。

　　宓妃怒目瞪着小孽龙。

　　小孽龙高兴地坐在石座上，拿起一个果子吃了起来，"美人儿，你吃不吃啊？"

　　宓妃朝他"呸"了一声，将头扭向一边。

　　小孽龙："呵呵，脾气倒挺大的！"

　　宓妃："你快放了我！"

　　小孽龙："放了你，没这么容易！"

　　宓妃："你想干什么？"

　　小孽龙："我想将你留下来。"

　　宓妃："你妄想！"

　　小孽龙："我这洞呢，是简陋了一点，但是我们两个住，还

茅屋内。

女娲躺在石床上，正梦到一个妖怪将女儿抓住，她从梦魇中惊醒过来，吓出了一身冷汗。

外面，众人正干得热火朝天，不时传来欢快的吆喝声。

女娲脸色苍白，闭了闭眼睛，突然感觉胸口疼痛，然后剧烈地咳嗽起来，一口鲜血吐了出来。

她喘息着，无力地躺在石床上，心里惦记着女儿，喃喃地说道："宓妃，你去了这么久，怎么还不回来啊？"

是很舒服的。"

宓妃："你别痴心妄想了,我不会答应你的!"

小孽龙："你答应也要答应,不答应也要答应!"

宓妃："如果被我爹娘知道了,定不饶你!"

小孽龙"嘿嘿"笑道:"你爹娘做梦也想不到,他们的女儿会落在我的手里!"

宓妃大叫道:"你快放我出去!"

小孽龙恶狠狠地说道:"进了我这石洞,你就别想再出去了!"

宓妃怒目圆睁,"你敢对我非礼,我就和你拼了!"

小孽龙："你想和我作对,还嫩了一点。"

宓妃咬着牙,恨恨地瞪着他,一言不发。

小孽龙"嘿嘿"冷笑着,一步一步逼近宓妃。

宓妃双手撑着地,朝后退去,退到石墙边,用手摸起地上的一块石头,对小孽龙吼道:"你不要过来!"

小孽龙哪里肯罢休,直朝宓妃扑去。

宓妃突然举起手中的石头,朝小孽龙砸去。

小孽龙猝不及防,被砸中额头,鲜血流了出来。

他捂住受伤的额头,老羞成怒,"你竟敢伤我?"说着,恶狠狠地朝宓妃扑去。

宓妃惊叫一声,滚向一旁,急忙站起来朝洞外奔去。

小孽龙飞扑上前,一把抓住宓妃,将她狠狠地扔在地上,"你还想逃?别做梦了!"

宓妃大声哭叫着:"你这条恶龙,快放我出去!"

小孽龙："看来,不让你吃点苦头,你是不知道我的厉害了!"

宓妃惊恐地望着小孽龙。

伏魔济世

开天辟地

小孽龙狞笑着，朝宓妃逼近。

宓妃无处躲闪，被他抓个正着。

小孽龙死皮赖脸地抱住宓妃，张开大嘴就想亲宓妃。

宓妃使劲地躲闪着，大叫着："快放开我，快放开我！"

小孽龙："你叫吧，谁也听不到！"

宓妃使劲地挣扎着，狠狠地咬住了小孽龙的舌头。

小孽龙疼得惨叫一声，松开了宓妃。

宓妃摔倒在地，马上爬起来向洞口奔去。

小孽龙凶相毕露，恶狠狠地追了上来。

正在这危急之时，凤凰从洞外飞了进来。

宓妃一见，大叫着："凤凰，救我！"

凤凰鸣叫着，凶狠地朝小孽龙张开利嘴，朝他右眼啄去。

小孽龙急忙躲避，恶狠狠地说道："你伤了我的左眼，今日我要让你死无葬身之地！"说着，伸出利爪，朝凤凰抓去。

凤凰敏捷地闪开，开始与小孽龙搏斗。

宓妃急忙逃出洞口，捡起一根木棒紧紧拿在手里，守在洞口。

小孽龙和凤凰拼斗着，也来到洞口。

宓妃朝小孽龙头上狠狠打去。

小孽龙闪身躲过，朝宓妃抓来。

凤凰张开利嘴，朝小孽龙啄去。

小孽龙急忙躲避，又伸出利爪，想抓凤凰翅膀，凤凰急忙展翅纵起。

小孽龙见凤凰纵向天空，猛地又向宓妃扑去。

凤凰一见，急忙俯冲下来，朝小孽龙的利爪啄去。

小孽龙躲避不及，被凤凰啄中利爪，痛得"嗷"地叫了一声。

　　小孽龙怒吼着，伸出另一只利爪抓向凤凰的翅膀，凤凰的翅膀被他的利爪抓住，被扯下数根羽毛，鲜血淋漓。

　　凤凰凄厉地惨叫一声，忍着剧痛，朝小孽龙的右眼啄去。

　　小孽龙急忙松开利爪去捂自己的右眼。

　　凤凰又啄中了小孽龙的利爪。

　　顿时，他的两只利爪满是鲜血。

　　小孽龙痛得"嗷嗷"大叫。

　　宓妃乘机拿着木棍朝小孽龙头上打去。

　　小孽龙头部被击中，惨叫一声，卷起龙尾，朝宓妃狠狠扫去。

　　凤凰见势不妙，猛地啄起宓妃的衣裙，腾空而起。

　　小孽龙龙尾扫空，见凤凰叼起宓妃飞向空中，也追了上来。

　　凤凰叼着宓妃，拼命地朝昆仑山方向飞去。

　　宓妃伸出双手紧紧抱着凤凰的脖子。

　　凤凰加快速度，朝前飞奔。

　　小孽龙紧追不舍。

　　昆仑山出现在前面。

　　小孽龙越追越近。

　　凤凰奋力扑扇着翅膀，朝昆仑山头飞去。

　　小孽龙奋力追上，挡在凤凰的面前，凶恶地说道："想逃？没这么容易！"

　　凤凰叼着宓妃惊恐地朝后飞去。

　　小孽龙阴笑着逼上前来。

　　宓妃紧紧抱着凤凰的脖子，凤凰有力使不出来。

　　小孽龙："你快老老实实给我把她带回去，不然的话，我将你也一块吃了！"

　　凤凰瞅准时机朝旁边飞去。

　　小孽龙狞笑着挡了过去，"凤凰，你别想逃！你啄瞎了我的左眼，就想这样轻易地走吗？"说着，伸出利爪，朝凤凰抓去。

　　凤凰见小孽龙凶狠地扑来，急忙闪开。

　　宓妃剧烈地摇晃着，双手搂着凤凰的脖子，两腿在半空中乱蹬着，吓得大叫。

　　小孽龙一招扑空，又紧追而来。

　　凤凰急忙朝前飞去。

　　小孽龙疾飞而过，又挡在了凤凰面前，张开利爪扑来。

　　凤凰急忙俯冲而下。

　　小孽龙紧跟着俯冲下来。

　　凤凰又朝高空飞去。

　　小孽龙伸着利爪，扑了一个空，猛地用龙尾一扫，扫中了宓妃。

　　宓妃惨叫一声，双手松开了凤凰的脖子，掉了下去。

　　凤凰急忙去救宓妃。

　　小孽龙凶恶地扑了上来，挡在凤凰的面前，朝凤凰抓去。

　　凤凰急忙闪避。

　　宓妃在空中惨叫着，摔向昆仑山。

　　小孽龙凶狠地扑向宓妃。

　　凤凰飞起直追，用嘴啄住了小孽龙的尾巴。

　　小孽龙回头张嘴咬来。

　　凤凰急忙松开，腾空而起。

　　小孽龙老羞成怒，急追凤凰。

　　凤凰拼命地与他周旋着，瞅准时机，朝他身上啄了一下。

　　小孽龙痛得惨叫连连，张开利爪，朝凤凰疯狂地扑去。

　　凤凰展翅飞向高空。

　　小孽龙紧追不舍，非要将它吃了不可。

药仙正在洞口歇息，琉璃兽悠闲地在他身旁走来走去。

突然天空中传来一声惨叫，药仙急忙抬头看去。只见空中一个姑娘掉了下来，一条恶龙正在追杀着一只凤凰。

药仙急忙对琉璃兽说道："琉璃兽，快！将那姑娘接住！"

琉璃兽一听，猛地腾空而起，将掉下来的宓妃用嘴衔住，将她送到药仙面前。

宓妃躺在草地上，昏了过去。

药仙仔细地查看着宓妃的伤口，又朝天空看了看，对琉璃兽说道："快，赶快将那凤凰救下！"

琉璃兽点了点头，腾空而起，朝小孽龙扑去。

小孽龙在空中疯狂地对凤凰又扑又咬。

凤凰渐渐招架不住，被小孽龙的龙尾重重扫中，惨叫一声，掉了下去。

小孽龙朝凤凰扑去。

琉璃兽飞了过来，挡在小孽龙面前。

小孽龙怒目圆睁，"你是何方怪兽，竟敢挡我？"

琉璃兽也不答话，猛地张开大口，朝小孽龙咬去。

小孽龙愤怒地伸出利爪，与琉璃兽在空中厮打起来。

琉璃兽全身闪着金光，眼睛喷出两股光束。

小孽龙近身不得，愤怒地朝琉璃兽吼叫着。

凤凰直掉下来，挂在一棵树上，昏了过去。

空中。

小孽龙和琉璃兽还在拼斗着。

琉璃兽猛地扑了上去。

小孽龙不是琉璃兽的对手，渐露败势。

琉璃兽张开大口，朝小孽龙咬去。

小孽龙猛地用龙尾扫向琉璃兽。

　　琉璃兽用口狠狠地咬住他的龙尾，将小孽龙的龙尾咬断。

　　小孽龙惨叫一声逃走了。

　　琉璃兽朝前追去。

　　小孽龙仓皇而逃，化作一股黑雾，瞬间不见了。

　　琉璃兽不再追赶，咬着半截龙尾，朝昆仑山飞来，降落在药仙面前，将那半截龙尾吐落在地。

　　药仙高兴地拍了拍琉璃兽的头，"琉璃兽，辛苦你了，快去树上将那只受伤的凤凰驮下来！"

　　琉璃兽又腾空而起，用嘴衔着昏过去的凤凰，朝药仙飞来，将它放在草地上。

　　药仙查看着宓妃和凤凰的伤势，见他们气息微弱，伤势严重，急忙给他们各服下一粒药丸。

　　药仙自言自语："这恶龙真狠毒啊，将这姑娘和凤凰伤成这样！"

　　西方部落。

　　伏羲指挥着成千上万的人在开拓河道。

　　长长的河道上，众人干得热火朝天。

　　白龙氏来到伏羲身边，说道："爹爹，开挖河道要多久啊？"

　　伏羲擦了擦头上的汗，"既然各部落的人都来了，我就想让这条河道挖得更长一些，让各部落的儿孙们都受益。这水我们可以用来浇灌田地，洪水来了，还可以疏导进这河道里。"

　　白龙氏高兴地说："要是下次洪水来了，不再泛滥就好了！"

　　伏羲笑道："只要将河道挖好了，不管洪水怎么来，我们都可以将洪水疏导到这河道里去，让害人的洪水为我们所用。"

黄龙氏急匆匆地走了过来，"爹爹，我刚才去看了娘，她的病又加重了，在不停地吐血！"

伏羲吃惊地说："吐血？走，快去看看！"

三人急匆匆地朝茅屋奔去。

茅屋内。

女娲还在不停地咳嗽，地上有一大摊鲜血。

女娲不停地喘息着。

三人走进茅屋。

伏羲见状，急忙奔了过去，大叫道："妹妹，你怎么了？"

黄龙氏和白龙氏奔过去，着急地大声叫道："娘、娘——"

女娲虚弱地说道："我没事，你们去忙吧！"

伏羲心痛地看着女娲，不停地给她捶着背。

女娲的咳嗽缓了缓，对伏羲吃力地说道："哥哥，你快带着大家去干活吧，我没事的。"

伏羲眼里含着泪，"孩子们都干着呢！"

黄龙氏流泪说道："娘，你好些了吗？"

女娲轻轻地点了点头。

白龙氏也哭着说："娘，你一定要挺住啊！"

女娲吃力地挤出一丝微笑，"孩子，别难过了，娘没事。"

伏羲："宓妃已经去请药仙了，很快就会回来了！"

女娲："宓妃这孩子去了这么多天了，怎么还不回来?我真想她啊！"

伏羲："她也该回来了，你不要着急，安心养病要紧。"

女娲轻轻点了点头，"哥哥，你扶我躺下吧，我累了，想睡一会。"

伏羲含泪轻轻将女娲平放在石床上。

黄龙氏和白龙氏也扶着女娲躺好。

女娲轻轻说道:"你们都去忙吧,不要担心我了。"

白龙氏:"娘,你好好睡吧。"

黄龙氏:"娘,我们走了!"

伏羲紧紧拉着女娲的手,"妹妹,你睡吧,我等一会儿再来看你。"

女娲微微点了点头,轻轻闭上了眼睛。

伏羲、黄龙氏、白龙氏轻轻走出了茅屋,朝小河边走去。

三人心情沉重。

黄龙氏担心地说:"娘病成这样,会不会有事啊?"

白龙氏:"是啊,娘累成这样,这可怎么办哪?"

伏羲心情沉重地说:"你娘的病只有药仙能治得好!可是宓妃去了这么久,怎么还不回来?真急人啊!"

黄龙氏着急地说:"妹妹不会出什么事吧?"

白龙氏:"按理说也该回来了!"

伏羲:"是啊,这么久没有回来,我真担心啊!你娘又病成这样!"

黄龙氏:"爹,让我去找妹妹吧。"

白龙氏:"我们一块去找找,不能这样等下去了。"

伏羲想了想,点了点头,"是啊,照你娘这病情,不能再等下去了。你妹妹不知道找着药仙没有。"

白龙氏:"爹爹,让我去一趟吧。"

黄龙氏争着说:"还是让我去吧,我认识他。"

伏羲点了点头,"那好吧,黄儿,就你去吧,可要早去早回。"

黄龙氏:"爹爹放心,我会早去早回的!"

白龙氏:"哥哥,我和你一块去,相互有个照应。"

伏羲："白儿，你就别去了，这里挖河道也离不开人，有你哥一个人去就够了。"

白龙氏只好不再争了。

伏羲对黄龙氏说道："黄儿，你骑着麒麟直接去昆仑山找药仙，如果找着你妹妹，就跟她一起来；如果没见着你妹妹，无论如何要赶快将药仙请来，再去找你妹妹。"

黄龙氏点头，"爹，我知道了。"

伏羲召来麒麟。

麒麟飞快地落在三人面前。

伏羲摸着麒麟的头，说道："麒麟，你带着黄儿去一趟昆仑山，快去快回！"

麒麟懂事似的点了点头。

黄龙氏："爹，那我走了！"

伏羲："孩子，一路上要小心啊！"

白龙氏："哥哥，你要早点回来啊！"

黄龙氏跨上麒麟，"你们放心吧，我会很快回来的。"说着，麒麟腾空而起，驮着黄龙氏朝远方飞去。

伏羲和白龙氏目送着黄龙氏，然后心情沉重地朝正在干活的人们走去……

昆仑山顶。石洞内。

药仙给宓妃和凤凰服下药后，静静地等在一旁。

凤凰伤势较轻，缓缓睁开了眼睛。

药仙一见，高兴地说："凤凰，你终于醒过来了！"

凤凰朝药仙高兴地点了点头。

药仙又拿出一颗药来，放进凤凰的嘴里。

凤凰一口吞下，不一会儿，扑扇着翅膀，站了起来，然后它

看到了躺在草地上的宓妃，轻轻地用头摩挲着她的秀发。

药仙对凤凰说："这小姑娘伤势太重，我已给她服下药丸，命是保住了，但还要一会儿才会醒过来。"

凤凰的眼中滴下了两滴眼泪。

药仙："你别担心，她不会有事的。"

凤凰感激地朝药仙点了点头。

药仙背起药篮，对凤凰说道："我去附近采些草药来给她服下，就会完全好了。"说完，和琉璃兽走出山洞，朝林中走去。

凤凰着急地在宓妃面前走来走去，不时地用嘴啄她的衣裙。

宓妃眼睛动了动。

凤凰高兴地对宓妃"咕咕咕"地叫了几声。

宓妃缓缓地睁开了眼睛，她虚弱地对凤凰说道："凤凰，我们这是在哪里？"

凤凰朝洞顶"咕咕"地叫着。

宓妃惊喜地说："我们这是到了昆仑山？"

凤凰使劲地点了点头。

宓妃高兴地挣扎着坐了起来，对凤凰说："凤凰，我们出去走一走吧。"

凤凰点点头。

宓妃吃力地站起来，和凤凰朝洞外慢慢走去。

洞外。

群山环抱着昆仑山，云雾缭绕。昆仑山高耸入云，层峦叠翠，古木参天，瀑布飞泻。

宓妃坐在洞外的石头上，欣赏着这眼前的美景。

凤凰在宓妃面前走动着，朝她"咕咕"地叫了几声。

宓妃轻轻地抚摸着它的头，"凤凰，你在说什么呢？"

凤凰突然展开双翅，朝丛林深处飞去。

宓妃不解地看着凤凰，站了起来，喊道："凤凰，你去哪儿？"

凤凰头也不回地钻进了树林。

林中。

药仙正把一棵草药放进药篮。

凤凰鸣叫着，飞落在药仙面前。

药仙笑着问道："凤凰，你怎么来了？是不是那小姑娘醒过来了？"

凤凰点了点头。

药仙："那好吧，我药也采完了，走吧！"

凤凰和琉璃兽嬉闹着朝前走去。

他们走出了树林，朝洞口走来。

宓妃见凤凰领着药仙朝自己走来，高兴地快步迎了上去，大叫着："药仙爷爷！药仙爷爷！"

药仙呵呵笑着，走上前来，"小姑娘，你怎么知道我是药仙啊？"

宓妃调皮地说："因为你这一大把胡子，又背着药篮，琉璃兽又跟着你，所以我就知道你是药仙爷爷了！"

药仙："你怎么知道我有琉璃兽？"

宓妃："是我爹告诉我的。"

药仙惊问："你爹是谁？"

宓妃："我爹爹是伏羲。"

药仙："哦？原来你是他的女儿，你叫什么名字啊？"

宓妃："我叫宓妃。"

　　药仙："我说眼熟呢，这凤凰不是女娲的吗？怎么会让你骑着呢？"

　　宓妃："女娲是我娘。"

　　药仙点了点头，"你骑着凤凰，怎么会让那条恶龙追杀呢？"

　　宓妃："那条恶龙就是小孽龙，他想加害于我！"

　　药仙："宓妃，你知道吗？你差点被他伤了性命，在我这里昏迷了数日。"

　　宓妃一听，吓了一跳，"这可糟了！"

　　药仙惊问："怎么了？"

　　宓妃："我这次是特意来请你的。"

　　药仙："请我何事？"

　　宓妃："我娘补天，累得一病不起，我爹爹知道你医术高明，就叫我来请你。"

　　药仙："哦，原来是这么回事。"

　　宓妃着急地说："我娘病得很重，你快救救她吧！"

　　药仙："哦，原来天上那个大窟窿是你娘补好的，真了不起！"

　　宓妃："我来时，娘已经病得起不来了，身体非常虚弱，不停地咳嗽。"说着，眼泪流了下来。

　　药仙："孩子，你放心吧，我一定想办法把你娘的病治好！"

　　宓妃高兴地说："药仙爷爷，谢谢你了，那我们快走吧！"

　　药仙："傻孩子，病是要对症下药的，我这里还有几味药没有，还要去采呢。"

　　宓妃："那要等多久啊？"

药仙："不用等多久，我等会就去采药，配齐草药，就可拿回去了。"

宓妃高兴地说："那就有劳药仙爷爷了！"

药仙："你好好在这里待着，你的身体还没有完全养好，别乱跑，好好在洞里歇息。"

宓妃兴奋地说："我知道了！"

药仙又背着药篮，骑上琉璃兽，朝远处飞去。

宓妃目送药仙远去，高兴地逗着凤凰玩。

空中。

麒麟驮着黄龙氏在昆仑山上盘旋了几圈。

凤凰突然发现了空中的麒麟，"咕咕"地鸣叫着，腾空而起，朝麒麟飞去。

宓妃见凤凰鸣叫着飞向空中，放眼望去，突然看见麒麟驮着哥哥，高兴地大叫起来："哥哥、哥哥——"

黄龙氏也发现了宓妃，大叫着："妹妹、妹妹——"

凤凰靠近麒麟，亲昵地在麒麟面前扇动着翅膀，在前头领路，飞快地俯冲下来。

麒麟飞落在宓妃的面前，黄龙氏急忙下了麒麟。

宓妃激动地大叫着："哥哥、哥哥——"扑在了黄龙氏的怀里。

黄龙氏生气地推开宓妃。

宓妃惊愕地看着哥哥，"哥哥，你……你怎么了？"

黄龙氏："你竟然还有闲工夫在这里玩耍？"

宓妃不解地说："我没有啊。"

黄龙氏怒气冲冲，"你没有，你在这里不是玩耍吗？"

宓妃委屈地流着泪，"谁玩耍了？"

黄龙氏："你知道娘现在病得多严重吗？她每天都在念叨着你！"然后，便哽咽着说不下去了。

宓妃惊呆了，"哥哥，娘她怎么样了？"

黄龙氏："你还有脸问娘怎么样了。"

宓妃哭道："哥哥，你错怪我了！"

黄龙氏："我一点都没有错怪你，你在这里玩耍，爹娘还以为你在外面出事了！"

宓妃哭泣着说："哥哥，你先听我说完再发火也不迟呀！"

黄龙氏："我不听你的，你别找借口！"

宓妃委屈地说："我哪里是在找借口，你就不能听我说吗？"

黄龙氏生气地把头扭向一边。

宓妃哭着说道："我来时，被小孽龙拦截在一座山上，幸亏凤凰救了我，驮着我逃往昆仑山。小孽龙紧追我们，我被他的龙尾击成重伤，被药仙救了，昏迷多日，刚刚醒来。我求药仙给娘采药去了。"

黄龙氏一听，转过头来，吃惊地睁大眼睛，"你说的是真的？"

宓妃哽咽着说道："我还能骗你？"

黄龙氏咬牙道："又是小孽龙！"

宓妃："我差点就死在小孽龙手里了！"

黄龙氏悔恨地大叫一声："妹妹，哥哥错怪你了！"说着，紧紧地将宓妃抱在怀里。

宓妃也在黄龙氏的怀里哭泣着。

药仙骑着琉璃兽降落在两人面前。

　　黄龙氏急忙松开妹妹，朝药仙跪下，哀求道："药仙爷爷，你可要救救我娘啊！"

　　药仙急忙扶起黄龙氏，"孩子，快快起来，你不要着急，我已经给你娘把药采来了！"

　　黄龙氏感激地说："谢谢药仙爷爷！谢谢药仙爷爷！"

　　宓妃也眼含热泪，"药仙爷爷，谢谢你了！"

　　药仙："孩子，你们等着，等我把药配好，你们就可以拿去了！"

　　宓妃高兴地说："药仙爷爷，那你快配吧，我们等着。"

　　药仙笑着从洞门口拿起原先采的一些药，和刚采的那几味药一起放入琉璃兽的口里。

　　琉璃兽把药在口里嚼了嚼，便直吞入咽喉。

　　顿时，琉璃兽全身晶莹剔透，五脏六腑显现得清清楚楚。

　　草药下去之后，不停地在它的经脉里蠕动着。不一会儿，药就混合成了一粒很大的药丸。

　　琉璃兽慢慢地把药丸吐到药仙的手掌上。

　　宓妃张大嘴巴，惊奇地看着。

　　黄龙氏也瞪大了眼睛。

　　药仙将药丸递给黄龙氏，叮嘱道："好好拿着，你娘只要服下这颗药丸就会好的。"

　　黄龙氏慎重地接过，猛地跪下，感激地说："我代我爹娘，谢谢你了！"

　　宓妃也跟着哥哥跪下，对药仙说道："药仙爷爷，你的大恩大德，我们感激不尽！"

　　药仙笑着扶起两人，"快去吧，不要再耽搁了！"

　　不远处，凤凰、麒麟和琉璃兽在一起玩，亲热极了。

药仙对琉璃兽说道："琉璃兽，你别缠着凤凰和麒麟了，让它们赶快走吧！"

琉璃兽听话地走了过来。

凤凰和麒麟急忙走到黄龙氏和宓妃身边。

黄龙氏和宓妃跨上坐骑。

他们朝药仙和琉璃兽亲切地挥手告别。

药仙也笑着挥手，琉璃兽昂着头，摇着尾巴，看着他们。

凤凰和麒麟在上空盘旋了几圈，然后朝远方飞去……

第六章

女娲升天

众人悲别

伏魔济世

开天辟地

茅屋内。

两个女人服侍着女娲。

女娲虚弱地躺在床上，气喘吁吁，剧烈地咳嗽着。

一个女人不停地给女娲轻轻地捶着胸口。

另一个女人用陶器端来一些水，扶起女娲，给女娲喂着水。

女娲喘息了一会儿，喝了一点水，吃力地说道："还是让我躺着吧。"

两人扶女娲躺下。

女娲闭上眼睛，脸色苍白，豆大的汗珠从额头滚落下来。

一个女人轻轻地给女娲擦着汗。

另一个女人紧紧握住女娲的手。

河道上。

伏羲指挥着众人在挖着河道。

黑龙氏、白龙氏和赤龙氏带领人们在疏通河道。

众人不停地挖着，抬着土，长长的河岸堆起了两条高高的河坝。

伏羲擦着头上的汗水，欣喜地看着忙碌的人们。

茅屋内。

女娲剧烈地咳嗽着，大口大口的血吐了出来，止也止不住。

两个服侍她的女人惊呆了，手足无措。

一个女人突然醒悟过来，"快，快去叫爷爷！"

另一个女人慌忙答应着，夺门而出。

她拼命地跑着，喊叫着，朝河道奔来，"爷爷、爷爷——"

众人纷纷停下了手中的活，惊异地朝那女人望去。

伏羲急忙循声望去，突然预感到了什么，手中的石锄掉在地上。

那女人朝他疯也似的奔跑过来，"爷爷，不好了，奶奶她快不行了！"

伏羲急忙朝茅草屋奔去。

众人也纷纷扔下手中的东西，朝茅屋奔去。

茅屋内。

女娲脸色苍白，已经气息奄奄，眼睛紧紧地闭着，地上一大滩鲜血。

她口中喃喃地呼唤着女儿的名字："宓妃、宓妃……"

伏羲奔了进来，扑在女娲的身上，"妹妹，你怎么了？你怎么了？"

女娲微微睁开双眼，断断续续地说："哥哥……我……我快

不……不行了。"

伏羲含泪吼道："不，你不会的，你不会的！"

女娲微笑地说："哥哥，这一生中……有了你，我知足了！"

伏羲握着女娲的手，泪流满面，哽咽着，"妹妹，你不能丢下我一个人走啊！"

女娲看着伏羲，眼前出现了和伏羲在一起的甜蜜时光。

伏羲流泪，深情地说道："妹妹，你还记得吗？那个时候，天下只有我们两个，为了成婚，你给我出了很多难题。"

女娲幸福地轻轻点点头，"哥哥，其实那时，我非常爱你，只是不好意思。"

伏羲含泪笑着点头，"妹妹，我知道你的心思，我也很爱你！"

女娲："哥哥，你不会怪我吧！"

伏羲摇了摇头，"我怎么会怪你呢？现在想来，真的好让人留恋啊！"

女娲露出了幸福的笑容。

伏羲："你还记得青烟交合、青丝结发、竹尾相交、滚磨相合吗？"

女娲点了点头，"怎能不记得？"

伏羲："你还记得我们成婚之日的那只白龟吗？"

女娲又笑着点点头，回忆起当时的情景。自己在前面跑，伏羲在后面拼命地追，可是怎么也追不上。这情景被白龟看见，它要伏羲往反方向追，结果自己一头撞在了伏羲的怀里。

伏羲："那时候，白龟说我傻，你也笑我傻。"

女娲："哥哥，那时，其实我也傻。"

伏羲："我们不是傻在一起了吗？"

两人流泪笑着，回忆着远去的时光。

女娲突然又剧烈地咳嗽起来，鲜血不停地吐出来。

伏羲急得手足无措，"妹妹，你怎么了？"说着，给她轻轻地捶着胸口。

女娲喘息了一会儿，虚弱地说："哥哥，只怕这一次……我们就……就永远分开了！"

伏羲悲痛地说："妹妹，你不要这样说，你一定没事的。"

女娲摇了摇头，"哥哥，我……我要先去了，你要好好带……带着宓妃和……和孩子们。"

伏羲："不，你不是说好，我们生生死死在一起吗？"

女娲含泪点了点头，"是啊……我多想……想一直陪……陪伴着你啊！"

伏羲："那你就别离开我，再挺一会儿，宓妃和黄儿很快就会回来了。"

女娲："我……我真想他们啊！"

伏羲："妹妹，你没事的，你没事的！"

正在这时，八个部落首领急匆匆奔了进来，大声叫着："娘、娘——"全都跪倒在女娲的面前。

白龙氏泣不成声："娘，你都是为了我们哪！"

黑龙氏："你都是为了我们才累成这样！"说着，痛哭失声。

青龙氏哭喊着："娘，你不会有事的！"

赤龙氏悲伤地说："娘，哥哥和妹妹已经去取药了，你会没事的。"

其余的四个儿子纷纷哭着说道："娘，我们不能没有你啊！""你不能丢下我们不管哪！""娘，你一定会没事的！""娘，我们修好了河道，还想让你看哪！"……

　　儿孙们纷纷涌进了茅屋，进不来的，全都围在外面，黑压压一大片，众人都在伤心地哭着。

　　空中。傍晚。
　　麒麟和凤凰驮着黄龙氏和宓妃急急地朝西方部落飞来。
　　黄龙氏一个劲地催着："麒麟啊，你快点，再快点！"
　　宓妃也不停地催促着："凤凰，你也快点，快点！"
　　凤凰使劲点了点头，加速飞去。
　　麒麟和凤凰你追我赶，拼命地飞着。
　　两人耳边的风"呼呼"直响。
　　西方部落渐渐出现在眼前……

　　茅屋内。
　　女娲朝儿子们慈爱地微笑着，哆嗦着伸出手。
　　几个儿子全部将手叠在一起，伸在母亲的面前。
　　女娲激动地抚摸着儿子们的手，"孩子……我的好孩子！"
　　白龙氏哽咽着，"娘，现在天也补好了，沟壑也填平了，河道也在开挖，如今的日子已经好过了，这都是你和爹爹给我们的啊！"
　　女娲慈爱地看着白龙氏，"儿啊，可惜娘……再也不能和……和你们在一起了。"
　　儿子们和屋内的人们全都泪流满面，哽咽着说不出话来。
　　伏羲悲痛地看着女娲，"妹妹，你一定要坚持住啊！"
　　女娲无力地说："哥哥……我还想……再看一看……补好的天……"
　　伏羲点了点头，轻轻地从石床上抱起女娲。
　　屋内的儿子们都站了起来，急忙让开一条路。

伏羲抱着女娲，慢慢地走出茅屋。

茅屋外的人群也自动让开一条路。

伏羲抱着女娲来到河边的一块草地上，将女娲轻轻放下。

众儿孙都默默地跟着。

女娲抬头看着补好的天空。

夕阳挂在山头，晚霞映满了天空。

补好的天空五彩缤纷，放射出灿烂夺目的光芒。

众人也含泪看着补好的天空，神情悲怆。

女娲啜嚅着。

伏羲急忙俯下身来，将耳朵贴近女娲的嘴边。

女娲气若游丝，"哥哥……这天……真……美啊！"说完，头一偏，含笑着死去，眼中滚落出两滴晶莹的泪珠。

伏羲眼泪直流，悲痛欲绝地大叫一声："妹妹——"

凄惨的喊声在空中久久回荡着，回荡着……

儿子们悲痛地大叫着，跪倒在女娲面前，"娘、娘——"

众人也纷纷跪了下来，痛哭失声。

空中。

麒麟和凤凰拼命地朝茅屋飞来。

前面出现了小河，茅屋清晰可见。

人们围在河边，痛哭声隐隐传来。

黄龙氏急了，大叫着："快，快！……"

宓妃也哭叫着："凤凰，你快啊，快啊！……"

凤凰尖厉地鸣叫着，俯冲下来。

麒麟紧跟着凤凰朝河边的草地上飞落下来。

黄龙氏和宓妃跌跌撞撞朝女娲奔去。

众人纷纷让开一条路。

女娲嗫嚅着。

伏羲急忙俯下身来，将耳朵贴近女娲的嘴边。

女娲气若游丝，『哥哥……这天……真……美啊！』说

完，头一偏，含笑着死去，眼中滚落出两滴晶莹的泪珠。

伏羲眼泪直流，悲痛欲绝地大叫一声：『妹妹——』

凄惨的喊声在空中久久回荡着，回荡着……

黄龙氏和宓妃奔到女娲面前，眼前的景象让他们惊呆了。

黄龙氏手里的药丸跌落在地。他痛哭着跪倒在女娲面前，悔恨地说："娘，我们来晚了！"

宓妃撕心裂肺地哭喊着扑向女娲，紧紧抱住母亲，"娘，你怎么不等等我！你怎么不等等我啊！……"

伏羲泪流满面，悲痛地看着女娲。

宓妃痛不欲生地大声哭喊着："娘，都怪我啊，都怪我来晚了，你再睁开眼睛看看女儿，再看看女儿啊！"

女娲安详地躺在草地上，一动不动。

凤凰凄厉地鸣叫着，用嘴摩挲着女娲的脸，眼里滚出两滴晶莹的泪珠。

麒麟也默默地呆立在女娲旁边，神情悲伤。

小河边，人群痛哭失声。

夕阳慢慢落下。

天空突然乌云翻滚，狂风大作，一阵阵惊雷不停地炸响。

一阵电闪雷鸣之后，天空下起了暴雨。

大雨倾盆而下。

滚滚惊雷不停地响着。

突然，一道耀眼的闪电在女娲的身边闪过。

女娲化成一条金色的巨龙腾空而起，在人们头顶不停地盘旋着，眼中噙着晶莹的泪水。

众人纷纷跪倒，大声哭喊着："娘、娘——""奶奶、奶奶——"

伏羲眼含热泪，仰头看着久久不愿离去的金色巨龙，大声喊道："妹妹、妹妹——"

金色的巨龙在伏羲的头顶盘旋了一圈，掉下了两滴泪珠。

伏羲悲痛欲绝地大叫着："妹妹、妹妹——"

金色的巨龙又依依不舍地在伏羲头上盘旋了一圈，突然朝天空飞驰而去……

小河边。夜。

伏羲一个人静静地坐在小河边，呆呆地望着眼前的河水，一动不动，他的眼前仿佛又浮现出女娲和他在一起的时光。两人发现五彩的鹅卵石，炼石补天的情景，一幕幕如在眼前。

伏羲的眼泪一滴一滴地往下掉。他思念着女娲，不知她现在在天上怎么样了？伏羲又想起动工疏导的河道，天下的儿女们把希望全部寄托在自己身上，还有许多事情等着自己去完成，他觉得自己身上的担子更重了。

宓妃从远处走了过来，她含泪看着伏羲，静静地坐在父亲的身旁。

伏羲神情忧郁，脸色憔悴，好像一下子苍老了许多，眼中噙满了泪。

宓妃流泪说道："爹爹，快回屋歇息吧！"

伏羲从沉思中惊醒，回过头来，看着宓妃，生气地摇了摇头。

宓妃心痛地说："爹爹，别伤心了！"

伏羲严厉地看着宓妃，"你要是早一点来，你娘也不会死了！"

宓妃痛苦地说："爹爹，这都怪我！"

伏羲伤心地说："怪你，你娘都走了，怪你还有什么用？"

宓妃悔恨地说："要是我回来早一点，娘就有救了！"

伏羲含着眼泪，"说这还有什么用呢？"

宓妃痛哭着跪倒在伏羲面前，"爹爹，这一切都怪我啊，请

你原谅女儿吧！"

伏羲生气地一言不发。

宓妃："我知道爹爹恨我，可是，我也很爱娘啊！"

伏羲："你爱你娘，就该早点回来！"

宓妃伤心地说："爹爹，你不知道，孩儿耽误了些时日，是因为途中遇到了小孽龙。"

伏羲吃惊地睁大眼睛，"你遇上了小孽龙？"

宓妃含泪点点头，继续说道："小孽龙在途中拦住我，将我劫持到他的石洞中。"

伏羲急问："你是怎么逃出来的？"

宓妃："是凤凰救了我，将我驮往昆仑山，小孽龙追来，在空中将我击成重伤，我掉在昆仑山上，幸被药仙相救。孩儿昏迷了几日，被药仙救了过来，正好哥哥找来，我才同他平安回来！"

伏羲醒悟过来，"原来是这样，都怪爹爹没有多派一个人跟你去！"

宓妃悲愤地说："我恨那小孽龙，是他，是他让我耽误了时日，没有救回娘！"

伏羲咬牙切齿道："小孽龙！让我抓住他，非千刀万剐不可！"

宓妃："爹爹，让我和哥哥们去找他吧，我知道他躲在什么地方！"

伏羲一把搂住女儿，含泪道："小孽龙，他迟早会遭报应的！孩子，爹错怪你了！"说着，痛哭失声。

宓妃也哭道："爹，我好后悔啊！这都怪我啊，我无法赎回我的罪过啊！"

伏羲疼爱地抚摸着女儿的秀发，流泪说道："孩子，我的好

孩子，别说了，这笔账应算在小孽龙的头上！"

宓妃抬起泪眼，抹去伏羲脸上的泪水，"爹爹，我要亲手杀了小孽龙，为娘报仇！"

伏羲慈爱地看着女儿，点了点头。

石洞内。

小孽龙躺在洞内，痛苦地呻吟着。

他的半截龙尾没有了，全身痛苦不堪。

小孽龙咬牙切齿地说道："宓妃，都是你害了我，让我抓住你，非把你吃了不可！"

他轻轻地翻动了一下身子，痛得龇牙咧嘴，他又自言自语道："不行，我不能天天躺在这里，宓妃，你等着！"

河道上。

伏羲指挥着众儿孙在长长的河道上开挖着。历经千辛万苦，终于将河道挖了几千里，一直延伸到东海。

伏羲命令九个部落的首领带领一些精干的人，将地上的洪水引入了河道，洪水沿着挖好的河道，流进了东海。

众人看着洪水被驯服了，高兴得在河堤上欢呼起来。

伏羲站在堤岸上，含泪仰望着苍天，轻轻说道："妹妹，我和孩子们终于将河道挖成了，你看见了吗？"说着，泪流满面。

（那条宽阔的大河，就是后来的淮河。）

九个部落的首领兴奋地来到伏羲的身旁。

黄龙氏高兴地说："爹爹，你看，这洪水终于流向了东海，我们这些部落都受益了！"

白龙氏："爹爹，你辛苦了！这些全靠你啊！"

伏羲欣慰地听着，良久，才说道："孩子们，这些都是大家

的功劳，河道已经挖成了，要是你们的娘能看到，该有多好啊！"

众人心情沉重地低下了头。

宓妃从远处高兴地跑了过来，"爹爹，这河道挖成了，我们也该回宛丘了吧？"

伏羲朝宓妃笑了笑，点点头，"是啊，出来这么久了，洪水也已经疏导了，是该回去了！"

宓妃："爹爹，什么时候走啊？"

白龙氏："爹爹，大家都为我们西方部落做了不少事，我想请大家好好吃上一顿，表示我们西方部落的心意！"

宓妃高兴地说："好啊好啊！"

伏羲笑道，对几个儿子说道："河道已经挖成了，天也补好了，大家今日好好吃上一顿，让白龙氏表表他的心意！"

几个儿子顿时活跃起来，"好，今日好好吃一顿，不然也不知何时大家才能聚在一起！"

白龙氏兴冲冲地说："那我先去准备了！"说着，匆匆离去。

伏羲："你们几个，带领自己部落的人去砍些柴草，燃起篝火，好好地热闹热闹！"

众人兴高采烈地分头而去。

宓妃："爹爹，是不是明日就要和哥哥们分别了？"

伏羲点了点头，"都出来这么久了，也该回去了，各部落的事还需要他们回去做。"

宓妃："爹爹，那我们明日也回去了？"

伏羲："我们也一块回去吧，离开了这么久，不知宛丘怎么样了？"

宓妃留恋地说："我也真想宛丘啊，想那里的湖水，牡丹

花，茅屋……"

伏羲伤感地说："可惜，你娘再也不能和我们一块回去了！"

宓妃依偎在伏羲的胸前，"爹爹，我也想娘啊！"

伏羲抚摸着宓妃的秀发，眼里噙着泪，没有说话。

宓妃抬起头，看着伏羲，说道："爹爹，娘虽然走了，我会更好地孝敬你的，你别因为想娘太伤心了！"

伏羲动情地说："你娘把自己的一生都献给了天下的儿女，她是这人世间最好的娘！"说着，眼泪掉了下来。

宓妃："娘把自己所有的精力和心血都倾注在我们身上，我也要像娘那样，给天下人造福！"

伏羲慈爱地看着女儿，欣慰地点了点头："好孩子，你长大了，爹爹真为你感到高兴！"

宓妃幸福地依偎在爹爹的怀里，笑了。

小河边。夜。

一轮明月升起。

月朗星稀。

小河边的草地上，一堆堆篝火点燃起来了。

众人围坐在篝火旁。

伏羲站起来，对众人说道："孩子们，这么多时日以来，你们补天，填沟壑，挖河道，大家辛苦了！明日，你们就要回到各自的部落去了，大家今晚尽情地吃吧，玩吧，再好好叙叙旧，这以后，大家还不知何时能见面呢！"

众人高声叫道："好！好！"……

白龙氏也站起来，对众人大声说道："兄弟们，大家这么多时日来，不远千里来帮助我们，我白龙氏感激不尽！今晚，我代

表西方部落感谢大家！"说着，朝众人深深地鞠了一躬。

众人高声叫道："自家兄弟，别客气了！"……

伏羲大声地说："孩子们，大家开始吃吧！"

众人响应着，高兴地吃了起来……

乌龙山石洞内。夜。

小孽龙的伤已经养好了。

他钻出石洞，朝四处看了看，朝西方部落的小河边飞来。

小河边。

夜已经很深了。

众人在河边就地而眠。

宓妃坐在河边，呆呆地看着河水出神。

凤凰在她身边走来走去。

月光皎洁，河水波光粼粼。

宓妃的眼前又浮现出娘慈爱的面容。

她眼睛含着泪水，深深地怀念慈爱的娘。

宓妃含泪自语："娘，明日就要离开这里了，娘，你还好吗？我多想念你呀！"

她仰起头来，望着夜空，泪水不停地滚落。

凤凰轻轻地鸣叫了一声。

远处，茅屋内。

所有的人都睡着了。

劳累了一天的伏羲也躺在茅屋的草地上睡着了。

宓妃想着娘，情不自禁地在河边啜泣着。

凤凰轻轻用嘴扯了扯她的衣裙，示意她该回去歇息了。

宓妃抬起头来，抚摸着凤凰，"凤凰，我看见了你，就想起了我娘！"

凤凰眼中滚落出两颗晶莹的泪水。

宓妃给它擦去眼泪，动情地说："凤凰，娘去了，你就陪伴着我吧！"

凤凰使劲地点了点头。

宓妃起身弯下腰，在河里捡起一块圆圆的鹅卵石，她捧在手里，深情地说道："鹅卵石，娘用你补了天，我带上你，放在我身边，只要看见你，我就会想起和娘一起补天的日子！"说着，泪水不停地滚落。

她将鹅卵石放进怀里，起身准备离去。

夜空中。

小孽龙从石洞飞奔而来，他在空中见宓妃和凤凰在河边，心中窃喜，化作一股黑雾从天而降。

凤凰猛然发现一股黑雾卷来，机警地鸣叫一声，猛地扯着宓妃的衣裙，离开数丈之远。

宓妃惊恐地大叫一声。

小孽龙迅疾回扑过来，一把卷起宓妃，消失在夜空中。

凤凰尖厉地鸣叫了几声，腾空追去。

这声音惊醒了沉睡中的人们。

伏羲和黄龙氏等人急忙奔出茅草屋，朝空中望去，见凤凰临空而起，消失在夜幕中。

伏羲惊叫一声："宓妃出事了！"

麒麟飞奔而至。

伏羲急忙跨上麒麟，"麒麟，快追！"

麒麟腾空而起，紧追而去。

黄龙氏朝空中大声叫道："爹，你要小心啊！"

麒麟驮着伏羲消失在夜空中。

乌龙山石洞内。

小孽龙飞进石洞，把宓妃扔在地上。

宓妃已经昏迷过去。

小孽龙凑近宓妃，色迷迷地看着她俏丽的脸，脸上露出贪婪之色，"嘿嘿"笑道："小美人，就在这洞里陪着我吧！"说着，朝宓妃吹了一口气。

宓妃悠悠醒了过来。

她见小孽龙正色迷迷地看着自己，猛地坐了起来，"你……你干什么？"

小孽龙"嘿嘿"笑着，"你别怕，我孤单一人，把你请到我的洞里来，陪陪我！"

宓妃恨恨地啐了他一口唾沫，怒目瞪着小孽龙。

小孽龙嬉皮笑脸地说："小美人，你别这样看着我，你这样看着我，让我有点不舒服！"

宓妃怒喝："小孽龙，你到底想怎么样？"

小孽龙笑道："小美人，你不要这么凶嘛。我只想让你陪着我，与你过快活的日子！"

宓妃："小孽龙，你别痴心妄想了！"

小孽龙："你别嘴硬，你若不依从，你也知道我小孽龙的厉害！"

宓妃看着阴险毒辣的小孽龙，心想，自己身陷魔掌，想一下子脱身不可能，眼下只有慢慢寻找机会，杀死小孽龙，为娘报仇。

她眼珠一转，冷冷地说道："小孽龙，你为何不放过我？"

　　小孽龙流着口水说道："宓妃，你长得实在是太美了，我好喜欢你，所以我又把你请来了！"

　　宓妃："你说你到底想怎么样吧。"

　　小孽龙大声笑道："宓妃，我只想和你成婚，让你陪我在这石洞里过逍遥的日子！"

　　宓妃："既然你喜欢我，你就要答应我两个条件，我才肯和你成婚！"

　　小孽龙大喜，急忙问道："什么条件？"

　　宓妃："从此，不许你再和我爹爹作对，伤害我的兄弟姐妹们！"

　　小孽龙一听，高兴地直点头，"好，好，我答应你！"

　　宓妃："还有，你全身上下穿着龙鳞龙甲，看不见一点皮肉，我看着你都怕，你能不能将它去掉？"

　　小孽龙欣喜地问道："就这两个条件？"

　　宓妃点头。

　　小孽龙高兴地说道："这有何难。只要我把喉咙底下三片龙鳞揭下来，就可变成凡夫肉身的美男子。"

　　宓妃："那你快变给我看看！"

　　小孽龙："好，我现在就变给你看！"说着，举起爪来，揭去喉咙底下的那三片龙鳞。

　　果然，小孽龙变成了一个英俊的美男子。

　　小孽龙得意地说："你看，怎么样？"

　　宓妃："果然英俊！这样，我就敢和你一起了。"

　　小孽龙："宓妃，那今夜我们就成亲吧！"

　　宓妃："你先别急嘛，我们还要弄点东西庆贺一下吧？"

　　小孽龙连连点头，"你说得对，我这就去弄些吃的来！"

　　宓妃："那你快去呀！"

小孽龙眼珠一转，"你不会借故跑了吧？"

宓妃："我们都要成亲了，你还信不过我？"

小孽龙："看你说哪去了，我怎么会信不过你？你在这里等着我，我一会就回来！"说着，大步走出洞外，朝洞口吹了一口黑气，一扇黑漆漆的大门封住了石洞。

小孽龙化作一股黑雾，腾空飞去。

洞口。

凤凰急急地朝乌龙山石洞飞来。

它尖厉地鸣叫着，飞落在石洞前。

宓妃在洞内着急地走来走去，"这可怎么办？这可怎么办？……"

凤凰在洞口大声鸣叫着。

宓妃突然听见凤凰的叫声，惊喜地跑向洞口，大叫着："凤凰，凤凰……"

凤凰在洞口寻找着空隙，又鸣叫了一声。

宓妃大声说道："凤凰，快想办法救我出去！"

凤凰鸣叫着，着急地四处寻找着可以出入的洞口。

宓妃在洞内大叫："凤凰，找到洞口了吗？"

凤凰找不到空隙，猛地啄起黑漆漆的洞门。

凤凰的嘴巴啄在洞门上，丁当作响，洞门坚如磐石。

宓妃也在洞内不停地拍着洞门。

她大叫道："凤凰，小孽龙去找吃的了，要与我成亲，我出不去。你速去告诉我爹爹他们我被关在这个洞里，叫他们快来救我！"

凤凰又鸣叫了一声，腾空飞去。

东海龙宫。

小孽龙飞临东海上空，鬼鬼祟祟地朝天空看了看，见没人注意他，猛地分开水路，直入龙宫。

他急匆匆走进龙宫。

龙王正在欣赏蚌女们的舞蹈，见小孽龙走进来，急忙喝退蚌女。

小孽龙迅速关上门，趋步来到龙王身边："龙王，小孽龙来看你了！"

龙王阴沉着脸，"小孽龙，你去哪了？"

小孽龙："无底洞待不下去了，天兵天将到处捉拿我，我只好逃到乌龙山去了。"

龙王生气地说："你做事真是太鲁莽了，总是让人抓住你的把柄，让我在玉帝面前都抬不起头来，还被他杖责！"

小孽龙："在下知错了，请龙王谅解。"

龙王不高兴地问："你这次来，又有何事啊？"

小孽龙眼珠转了转，见龙王不欢迎，怕道出实情反而坏事，敷衍道："龙王，我在乌龙山石洞待得久了，饿得不行，那里也没有什么吃的，所以我来你这里，弄点好吃的。"

龙王："那好吧，我给你准备一些酒肉，你拿了，就别再来了。"

小孽龙有些不满地看着龙王，不动声色地说："龙王，我曾经是你的镇海将军，还是留恋在你身边的日子啊！"

龙王："好了好了，别说这么多了，玉帝正派天神到处捉拿你，你还是少出来，也别再到我这里来了！"

小孽龙压抑着怒气，"既然这样，请龙王放心，小孽龙下次不来就是。"

龙王朝外大声唤道："来呀！"

一个宫女推门而入，垂首道："龙王！"

龙王："快去，多拿些酒肉来，让小孽龙带走！"

宫女："是！"领命而去。

小孽龙："难道你就这样轻易放过伏羲了吗？"

龙王："我不放过他，能行吗？玉帝对他青睐有加，我还能对他如何？"

小孽龙："既然龙王你都拿他没办法，我小孽龙也无话可说。"

这时，一个宫女抱着一个大葫芦，里面盛满了酒，另一个宫女提着满满一篮珍馐走了进来。

龙王："小孽龙，这些东西你带回去吃吧。"

小孽龙："谢龙王，我告辞了！"

龙王："你出去小心点，可别让千里眼和顺风耳发现你！"

小孽龙："是，我知道了！"说着，接过两个宫女手中的酒肉，大步走了出去。

小孽龙飞身上了海面，四处看了看，腾空而起，朝乌龙山方向疾飞而去……

乌龙山石洞口。

小孽龙飞落在洞口，他吹去一口黑气，大门打开。

他变化成美男子，一只手提着一只大葫芦，另一只手提着吃的东西，高兴地走进石洞，又转身朝洞口吹了一口黑气，大门关上。

宓妃听见小孽龙回来，急忙坐在石凳上。

小孽龙边朝里走边埋怨着："这龙王，我为了他落到这个下场，他竟翻脸不认人了！"

宓妃问道："你刚才去找龙王了？"

小孽龙："去了趟龙宫讨些吃的，龙王竟不高兴！"

宓妃："龙王不是对你信任有加吗？怎么会突然对你不好呢？"

小孽龙："别提了，此一时，彼一时，我小孽龙如今被天兵天将追杀，他怕受牵连，竟不让我到龙宫去了。"

宓妃假意安慰道："既然这样，不去也罢。"

小孽龙："今日是我们成亲的日子，不说这些不高兴的事了。"

宓妃："他都给你送了些什么好吃的？"

小孽龙双手举起，"你瞧，这葫芦里可是龙宫里的好酒，香极了！"说着，将鼻子靠近葫芦嗅了嗅，闭了闭眼睛，陶醉地说："啊，真香，好久没喝酒了！"

宓妃从小孽龙手里接过篮子，将美酒佳肴一一摆在石桌上，"你看，还是很丰盛的！"说着，拿起大葫芦，在石碗里盛满了酒。

小孽龙坐在石凳上，喜滋滋地看着宓妃。

宓妃："这大好的日子，你就多喝点吧！"说着，端起一碗酒，柔情蜜意地递到小孽龙面前："来，我先敬你一杯！"

小孽龙受宠若惊，急忙双手接住酒碗说道："好，我喝！"说着，一饮而尽。

宓妃又用葫芦给小孽龙盛满酒，说道："今夜我们成婚，你就是我的夫君了，这一杯酒，我敬你！"

小孽龙高兴地说："好，夫人敬的，自然要喝！"又一饮而尽。

宓妃又倒满一碗酒，递到小孽龙面前，说道："你答应我，日后要与我爹和睦相处，这一杯，我谢你！"

小孽龙接过，"好，我说话算数！"说着，仰头一饮而

尽……

夜空。

凤凰朝西方部落飞去，远远地见麒麟驮着伏羲飞来，尖厉地鸣叫着飞向他们。

伏羲看见凤凰飞来，急问："凤凰，宓妃呢？"

凤凰鸣叫着点点头，转身朝前飞去。

伏羲明白凤凰的意思，对麒麟说："快跟上去！"

麒麟驮着伏羲，紧跟着凤凰，朝前飞去……

石洞内。

小孽龙喝得酩酊大醉，一手搂着宓妃，一手给自己斟着酒，嘴里还不停地说着："喝……喝，今日得了你这小美人，真是太高兴了！"

宓妃端起酒碗，递到小孽龙嘴边，将酒灌了进去。

小孽龙醉醺醺地说道："夫人，你也喝啊！"说着，将酒碗递到宓妃嘴边。

宓妃笑着接过酒碗，看着小孽龙，小呷了一口，又递给小孽龙。

小孽龙高兴地说："夫人喝过的酒，一定很香！"说着，陶醉地闻了闻酒，一饮而尽。

宓妃见小孽龙喝得大醉，乘机吹捧道："夫君，你是东海的镇海将军，你本领这么大，能腾云驾雾，又善于变化，真是厉害！这东海的龙王应该是你呀！"

小孽龙："可不是嘛，我的本领比他差不了多少，这龙王的宝座应该是我的！"

宓妃："那你应该和他争一争呀！"

　　小孽龙："唉，现在不好争了，我得罪了玉帝，怎能坐上这宝座呢？"

　　宓妃："你只要想办法将龙王扳倒，这宝座早晚是你的。"

　　小孽龙："是啊，我要等过了这阵，玉帝不再追查我了，我一定要想办法得到这龙王的宝座！"

　　宓妃："不过，龙王的功力也很了得，你斗得过他吗？"

　　小孽龙不屑地说："哼，和他斗还不是易如反掌！"

　　宓妃："这是为何？"

　　小孽龙："你可不知道，那龙王和我一样，有一个致命的弱点。"

　　宓妃："什么弱点？"

　　小孽龙："你可不能跟别人说啊！"

　　宓妃："我已经是你的夫人了，你还信不过我？"

　　小孽龙醉醺醺地笑着："对……对对！"说着，又端起满满一碗酒，"咕哝咕哝"喝了个底朝天。他将碗放下，色迷迷地看着宓妃。

　　宓妃催促道："那你快说呀！"

　　小孽龙："龙王全身鳞甲，刀枪不入，又善于变化，无人能敌。若要战胜他，只要将他咽喉处的龙鳞揭下来，然后用他的头发勒住脖子，头就落地了。我若想害他，易如反掌！"

　　宓妃假意高兴地说："你要是真的做了龙王，那我就是龙王夫人了！"

　　小孽龙："等过些日子，我就将这老龙王给除了，想办法坐上龙椅，让你跟着我有享不尽的荣华富贵！"

　　宓妃："多谢夫君。"说着，又给小孽龙斟了一碗酒，递到小孽龙嘴边，"夫君，那我等着做龙王夫人了！"

　　小孽龙搂住宓妃，亲了一口，哈哈笑道："那……你……你

等着！"说完，一饮而尽。

　　他搂着宓妃左右摇晃着。

　　宓妃轻轻挣开小擘龙的胳膊，"我来给你盛酒。"

　　小擘龙："今日真是太……太高兴了！喝……喝！"

　　宓妃又给小擘龙斟了满满的一碗酒。

　　他一把推开，甩了甩手，结结巴巴地说道："这……这不……不过瘾！"说完，双手捧起大葫芦，"咕哝咕哝"地大口喝了起来。

　　宓妃在一旁仇恨地看着小擘龙……

第七章 智惩恶龙

妖怪霸泉

伏魔济世 开天辟地

乌龙山石洞内。

小孽龙不停地喝着，已酩酊大醉。

他捧着酒葫芦又喝了几口，手一松，葫芦掉在了地上。

他起身趔趄着捡起葫芦，"我……我……我还要喝！"

酒从小孽龙的嘴角不停地往外流。

他将葫芦里的酒喝完，还不甘心地摇着葫芦里残余的酒滴，往嘴里倒。

宓妃见小孽龙喝醉了，窃喜，假意说道："夫君，你少喝点！"说着，将空葫芦从小孽龙手里拿了过来。

小孽龙摇着手，喊道："酒……酒……"

宓妃扶着摇摇晃晃的小孽龙，说道："酒已经喝完了，坐下来吃点东西吧。"

小孽龙被扶到石凳上坐下，宓妃给小孽龙喂了一块肉。

小孽龙大口大口地嚼着，"夫人，你……你真……真好！"

宓妃："你刚才说，龙王的弱点和你的一样，是真的吗？"

小孽龙晕晕乎乎地点点头，"是……是……是真的。"

宓妃："你和龙王的本事这么大，一根小小的头发丝，怎么会伤到你们呢，我不信！"

小孽龙醉眼蒙眬，"我……我不……骗……你！"

宓妃："这头发有这么厉害？"

小孽龙重重地点了点头，"嗯"了一声。

宓妃又拿起一块肉塞进小孽龙嘴里。

小孽龙嚼着肉，说话更是含糊不清："这会让……让我身……身首……分……分家，我就没……没命了。"说完，醉倒在石桌上。

宓妃眼睛睁得大大的，看着小孽龙。

她推了推小孽龙。

小孽龙烂醉如泥，没有反应。

宓妃鼓起勇气，小心翼翼地拔下小孽龙的一根头发。

小孽龙紧闭着眼睛，"嗯"了一声，将头转向一边。

宓妃惊恐地看着他。

宓妃的双手有些哆嗦，突然咬了咬牙，使劲用头发勒住小孽龙的脖子。

小孽龙猛然惊醒，气力尽失。他怒目圆睁，看着宓妃，"你……你……"

宓妃仇恨地说："你害死了我娘，我要为我娘报仇！"说着，使劲地勒紧了小孽龙的脖子了。

小孽龙惨叫一声，头掉在了地上，喷涌的血溅了宓妃满身满脸。

小孽龙的头上滴下的每一滴血都突然变成了一团火，在石洞

宓妃的双手有些哆嗦，突然咬了咬牙，使劲用头发勒住小葶龙的脖子。

　　小葶龙猛然惊醒，气力尽失。他怒目圆睁，看着宓妃，"你……你……"

　　宓妃仇恨地说："你害死了我娘，我要为我娘报仇！"说着，使劲地勒紧了小葶龙的脖子了。

　　小葶龙惨叫一声，头掉在了地上，喷涌的血溅了宓妃满身满脸。

内熊熊燃烧起来。

火势在石洞内蔓延开来。

宓妃被烟熏得眼睛都睁不开，呛得连连咳嗽。

她急忙一把抱住小孽龙的头颅。果然，火势有所缓解。

宓妃紧紧抱着小孽龙的头颅，不敢松手。

洞内烟雾弥漫，宓妃终于支撑不住，抱着小孽龙的头颅倒在地上，昏了过去。

洞外。

凤凰前头飞着，麒麟驮着伏羲紧紧跟着。

在石洞前，凤凰飞落下来，大声鸣叫着。

伏羲见一股浓烟从石洞内窜出。

凤凰在洞门口不停地鸣叫着。

伏羲急忙运起神力，一掌朝石洞大门击去。

大门被神力击碎。

伏羲朝洞内奔去。

凤凰和麒麟紧随其后。

石洞内浓烟滚滚，十分呛人。

伏羲大叫着："宓妃、宓妃……"

伏羲用手驱散着烟雾，在洞内搜寻着宓妃，不停地叫着："宓妃、宓妃……"

凤凰和麒麟也在伏羲身旁扑扇着翅膀，驱赶着浓浓的烟雾。

突然，伏羲发现了宓妃，大叫着朝宓妃扑去。

宓妃紧紧抱着小孽龙的头，昏迷不醒。

伏羲一把将小孽龙的头扔向一边，准备抱起女儿。

谁知，小孽龙的头落在地上，流下的血顿时变成一团团火焰。

伏羲大喊："快，将这头扔出洞外！"

凤凰鸣叫着冲过来，叼起小孽龙的头颅，朝洞外飞奔而去。

伏羲也急忙抱起昏迷不醒的女儿，朝洞外跑去。

洞外。

凤凰叼着小孽龙的头颅，飞向不远处的深潭。

凤凰在深潭上空松开了嘴巴。

只听"扑通"一声，小孽龙的头颅掉进了深潭。

凤凰扑扇着翅膀，鸣叫着，朝伏羲飞去。

伏羲把宓妃轻轻地放在草地上。

宓妃浑身是血，紧闭着双眼。

伏羲着急地呼唤着："宓妃，你醒醒，你快醒醒呀！"

凤凰飞了过来，在宓妃身旁轻轻地鸣叫着。

一阵微风轻轻地吹拂着宓妃苍白的脸。

宓妃的眼睛微微动了动。

伏羲惊喜地叫道："宓妃，孩子，你快醒醒呀！"

凤凰在宓妃面前着急地走来走去。

宓妃缓缓醒了过来，睁开眼睛见爹爹在身旁呼唤着自己。

她含泪笑道："爹爹，我为娘报仇了！"

伏羲热泪盈眶，紧紧握着宓妃的手，哽咽着："孩子，我的好孩子，爹爹……知道了！"

宓妃："爹爹，小孽龙以后再也不会来害人了！"

伏羲抹去眼泪，"孩子，爹爹真高兴啊！终于将小孽龙除去了，你娘在上天也可以放心了！"

宓妃挣扎着坐了起来。

伏羲急忙扶起女儿。

月亮在云中穿梭，照得乌龙山一片银白。

宓妃看着美丽的乌龙山，轻轻地说："爹爹，上次，女儿就是在这里被小孽龙掳走了，多亏了凤凰啊！"

凤凰在宓妃身旁温顺地依偎着。

宓妃亲昵地抚摸着凤凰美丽的翅膀，对凤凰说道："凤凰，谢谢你！"

凤凰"咕咕"叫着，点了点头。

宓妃又转头对伏羲说道："我刚才被那烟熏得好难受，现在好多了！"

伏羲："孩子，你没事爹爹就放心了！"

宓妃："爹爹，你不要担心，女儿不会有事的！"

伏羲问道："孩子，小孽龙变化多端，功夫了得，你是怎么将他杀死的？"

宓妃："小孽龙逼我与他成亲，我知道斗不过他，就假意答应了。我将他灌醉，他在喝醉时，告诉了我他致命的弱点，这样我才将他杀死！"

伏羲吃惊地问："哦？他有什么致命的弱点？"

宓妃："小孽龙的咽喉下有三片龙鳞，将这龙鳞揭下，拔下他的一根头发勒住他的脖子，他就没命了！"

伏羲："原来是这样！孩子，你真聪明！"

宓妃："小孽龙害死了娘，我对他恨之入骨，无时无刻都想杀死他，现在可好了，终于为娘报仇了！"

伏羲："孩子，你娘知道你亲手杀了小孽龙，她会有多高兴啊！"

宓妃悔恨地说："要是能早点杀掉小孽龙，娘也不会死！"

伏羲："孩子，别自责了，这不怪你！"

凤凰和麒麟走了过来，高兴地朝宓妃点着头。

伏羲："孩子，我们走吧，大家都在河边等着你呢！"

宓妃高兴地站了起来，"爹爹，那我们快走吧！"

伏羲和宓妃骑上麒麟和凤凰，朝西方飞去……

西方部落小河边。夜晚。

一堆堆篝火燃烧着。

众人正在河边焦急地等待着。

突然，一个人大喊着："回来啦！回来啦！"

众人急忙仰头望去。

凤凰和麒麟驮着宓妃和伏羲，正朝河边飞来。

众人大声叫着："爷爷回来了！""宓妃回来了！"……

凤凰和麒麟降落在小河边。

众人蜂拥着围了上来。

黄龙氏急忙上前，见伏羲和宓妃浑身是血，吃惊地问："爹爹、妹妹，你们身上怎么这么多血呀？"

宓妃高兴地说："哥哥，我将小孽龙杀死了！"

黄龙氏不相信地说："你？你能杀死小孽龙？"

宓妃不服气地说："怎么，我就不能杀死小孽龙？"

黄龙氏："小孽龙魔法了得，你一个弱女子，怎能将他杀死？"

宓妃："哥哥，你是不相信了？那你问问爹爹吧！"

伏羲笑着对黄龙氏说道："真的，你妹妹真的将那恶龙给杀了！"

众人听说宓妃杀死了小孽龙，高兴得欢呼起来："好啊，小孽龙死啦！杀得好！杀得好！"……

白龙氏问道："妹妹，你是怎么将小孽龙杀死的？"

宓妃调皮地笑道："这个嘛，不告诉你！"

黑龙氏扯着妹妹的手，"妹妹，你快说啊，别卖关子了！"

　　宓妃："我说了你们也不信！"

　　赤龙氏："妹妹，这身上的血可是小孽龙的？"

　　宓妃点点头，"是我杀了他，那恶龙溅了我一身血！"

　　白龙氏："妹妹，你非要告诉我，是怎么杀死小孽龙的。"

　　宓妃："那好吧，我告诉你，我是用他的头发丝将他勒死的。"

　　众人摇摇头，"哪有这样的事！宓妃可真会开玩笑！"

　　宓妃认真地说："真的，谁骗你们了！"

　　伏羲笑着对大家说道："宓妃真的是用那恶龙的头发丝将他勒死的！"

　　众人这才相信，又是一阵欢呼。

　　白龙氏紧紧抓住宓妃的手，高兴地说："妹妹，你真行！"

　　宓妃骄傲地歪着头，看着白龙氏，"哥哥，这下你可相信了吧！"

　　白龙氏兴奋地不停地点头，"哥哥相信！哥哥相信这全都是真的！"

　　黄龙氏含着泪，一把抓住妹妹的手，"妹妹，你可为娘报仇了！"

　　宓妃也不由得流下了眼泪。

　　黑龙氏："妹妹，快将这恶龙的血冲掉吧！"

　　宓妃点了点头，走向水边。

　　哥哥们全都走向水里，朝宓妃泼起水来。

　　宓妃"格格"地笑着，用手擦去脸上的血迹。

　　众人也纷纷跳进水里，朝站在水边的宓妃泼水。

　　一些女人拿着陶罐跑来，盛起一罐罐水，也朝宓妃泼去。

　　宓妃在河边小跑着，众人不停地追赶着，给她泼水。

　　黄龙氏对众人叫道："我们也给爹爹泼水呀！"

一大群人响应着，欢呼着，给站在河边的伏羲泼起水来。

伏羲站在河边，高兴地哈哈大笑起来。

众人不停地给伏羲和宓妃泼着水，大声欢笑着。

宓妃和伏羲身上血迹被冲得一干二净。

伏羲笑得流出了眼泪。

宓妃在河边跑着，笑着，欢快的笑声在夜空中久久地回荡着……

（从此，每年过年的时候，傣族人就相互泼水，用洁净的水洗去身上的污垢，迎来吉祥的新年。）

补天台上。早晨。

伏羲一个人坐在补天台上，仰望着补好的天空，眼中噙着泪，无限深情地看着五彩缤纷的补天石，眼泪一滴一滴地往下掉。

麒麟蹲坐在一旁，看着补好的天空，一动不动。

太阳出来了，霞光万道，五彩缤纷的补天石在天空闪烁着夺目的光芒。

伏羲静静地看着天空，眼前浮现出女娲补天的情景，那难忘的一幕幕，在伏羲的眼前不断地闪现着。

良久，伏羲自言自语地说："妹妹，你补的天多好看哪！我真不想走啊！看见这五彩的天空，我就看见了你！"

女娲临终前的声音传来："哥哥……这天……真……美啊！"

伏羲不停地点头，"是啊，妹妹，这天真美啊！"说着，泪如雨下。

突然，河边隐隐传来众人的呼喊声："爷爷、爷爷——"

伏羲从回忆中惊醒，回头看了河边一眼，又对着五彩的补天

石说道:"妹妹,你补好的天空,天下儿孙们都能看见,你给儿孙们造了福啊!我和孩子们今日都要回去了,你自己在上天好好保重啊!"说着,站了起来。

补天台上,还余下一块五彩缤纷的补天石。

伏羲走到补天石旁,伸出手掌,运用神力,从补天石边角掰下一小块,自言自语:"妹妹,这一小块,就让我永远留在身边,看见它,我就会想起你来!"说着,将这一小块补天石放进怀里。

伏羲又说道:"妹妹,这块补天石,就留在人间做个纪念吧!"说着,他高高地举起那块补天石,朝西北方向扔去,补天石掉落在了西北。

(据说,补天石落在了新疆的和田,现在发现的和田玉,就是那块补天石。)

伏羲又深情地看了一眼绚丽的天空,跨上麒麟。

他最后喃喃地说道:"妹妹,我很快就要走了,你要保重啊!"

麒麟"嗷"地叫了一声,驮着伏羲飞奔而下。

西方部落小河边。

黑压压的人群站满了河边。

各部落首领们带领自己的人们整装待发。

麒麟驮着伏羲落在一个高坡上。

伏羲跃下麒麟,慈爱地扫视了众人一眼,大声说道:"孩子们,这些时日来,我们共同完成了补天、填沟壑、挖河道等重要事情,你们辛苦了!"

众人齐声说道:"爷爷,我们不辛苦!"

伏羲:"孩子们,这些日子里,各部落齐心协力,和睦相

处，我感到非常高兴，你们不愧是我的儿孙，不愧是华族的后代！你们回去以后，要听首领的话，耕耘田地，种好五谷，帮助首领共同治理好自己的部落，我希望孩子们以后的日子过得越来越好！你们听见了吗？"

众人高兴地大声欢呼起来："听见了！听见了！"……

伏羲："听见了就好！你们要记住我的话，做一个勤劳、勇敢、善良的华族人！"

众人："好！好！好！"……

黑龙氏含泪大声地说："爹，你也要多保重啊，孩儿在这里给你磕头了！"说着，朝伏羲跪了下来，重重地磕着头。

其他几个部落首领也流着泪，全都跪下，大叫着："爹——"纷纷磕头。

众儿孙也纷纷跪下，大叫着："爷爷——"朝伏羲磕头。

成千上万的人跪倒在地，黑压压一大片。

伏羲热泪盈眶，大声说道："孩子们，都起来吧，你们都是我的好儿孙！"

众人纷纷站了起来。

宓妃含泪大声说道："兄弟姐妹们，现在我们就要分别了，向我们的娘磕个头吧！"说着，"扑通"一声朝着高耸入云的补天台跪下。

哭声四起，众人纷纷跪倒，朝补天台磕头。

伏羲从怀中拿出补天石，悲痛地说道："妹妹，看见了吗？孩子们都在给你磕头呢！"

突然，一条金色的巨龙从远方飞来，在人们的头顶盘旋了一圈。

众人仰望着，哭喊着，大声叫着："娘——""奶奶——"

伏羲看着飞来的金色巨龙，泪流满面，大叫一声："妹

妹——"

金色巨龙在人们头顶盘旋着，掉下两滴晶莹的泪珠，又飞向高耸入云的补天台，在上面盘旋了一圈，然后飞向远方，消失不见了……

众人痛哭失声，久久跪在地上。

伏羲悲痛地说："孩子们，都起来吧！"

众人这才站了起来。

伏羲忍住悲伤，大声说道："孩子们，该出发了！"

九个部落的首领齐声对伏羲说道："爹爹，你要保重啊！"

众人纷纷喊道："爷爷保重！""爷爷保重！"……

各部落首领带领着自己的人浩浩荡荡，挥泪离去。

伏羲眼含热泪，不停地向儿孙们挥着手。

众人渐渐远去。

白龙氏和宓妃来到伏羲跟前。

白龙氏对伏羲说道："爹爹，他们都走了，你再住些时日吧！"

伏羲抹去眼泪，"孩子，爹也要走了，你要好好治理你的部落，这样爹爹就放心了！"

白龙氏重重地点了点头，"爹，你放心吧！"

宓妃流泪对白龙氏说道："哥哥，我就要和爹爹走了，你以后可要常来看我们啊！"

白龙氏眼含着泪，"妹妹，我会来的！"

伏羲："白儿，你快回去吧，我们该走了！"

白龙氏："爹爹，让儿送你们一程吧！"

伏羲："不必了，你还有很多事呢，我和宓妃乘麒麟和凤凰，很快就回去了！"

白龙氏："爹爹，你可要多多保重啊！"

伏羲点了点头。

白龙氏又对宓妃说道："妹妹，你可要照顾好爹爹啊！"

宓妃含泪点头，"哥哥，我会的，你放心吧！"

麒麟和凤凰飞了过来，落在三人面前。

伏羲和宓妃跨上坐骑。

白龙氏依依不舍地说："爹爹保重！"

伏羲："孩子，回去吧！"

宓妃含泪道："哥哥，我们走了！"

麒麟和凤凰腾空而起，在白龙氏头顶盘旋一圈。

伏羲和宓妃朝白龙氏挥着手。

白龙氏也朝伏羲和宓妃不停地挥手。

麒麟和凤凰径直向宛丘方向飞去……

宛丘上空，火辣辣的太阳灼烤着山川大地。

宽阔的宛丘湖干涸了，湖底出现了一道道裂痕。

树木花草枯萎了，陡峭的高山上，一片荒凉。

宛丘的人们冒着烈日，到十几里开外的地方，用陶器在一个深潭里舀来水。

宛丘的田地干裂冒烟，愁苦的人们坐在茅屋门口，唉声叹气。

伏羲和宓妃骑着麒麟和凤凰从远处飞来，在空中看着宛丘凄惨的景象，大为震惊。

宓妃："我们出去数月，宛丘怎么变成这个样子了？"

伏羲急忙道："孩子，我们赶快去看看！"

麒麟和凤凰降落在湖边的茅屋旁。

两人跨下坐骑。

附近的人们见伏羲和宓妃回来了，高声大叫着："爷爷回来

了！"　"宓妃回来了！"……

众人将伏羲和宓妃团团围住，问长问短。

伏羲着急地问道："宛丘为何这般干旱？"

众人纷纷诉起苦来。

甲："唉，你们走后不久，就开始干旱了！"

乙："爷爷，已经有很长时日了！"

丙："大家都没有水喝，要到很远的地方去弄水。"

丁："天气这么热，这日子真是没法过了！"

戊："最苦的就是没水，这田里的禾苗都干死了，山上的树木枯萎，也不结果了，吃的东西都快没有了！"

……

伏羲心情沉重地听着。

宓妃："那这可怎么办哪？"

伏羲安慰众人道："孩子们，你们都别着急，总会有办法的。"

甲："爷爷，你们怎么去了这么久才回来啊，我们都盼着你们呢！"

伏羲："那边的事情多啊，所以回来晚了。"

乙："我们好想你们啊！"

伏羲："爷爷在那边也想着你们呢！"

丙："爷爷，其他人呢，怎么没跟你们一起回来？"

宓妃插话道："他们在后面，过几日就会回来了！"

丁："西边的天空好漂亮啊！"

宓妃骄傲地说："这是娘补的天！"

甲："奶奶怎么没和你们一起回来呢？"

宓妃听见问起娘，不由得伤心地哭了起来。

众人不解地看着宓妃，问道："宓妃，你这是怎么了？"

宓妃哭泣着说道："娘……娘她……补天……死了！"

伏羲心情沉重，默默地走出人群，坐在不远处的一块石头上。

众人听说了女娲的死讯，都惊呆了！

不一会儿，全都放声痛哭起来："奶奶、奶奶……"

伏羲默默地坐在石头上，呆呆地看着干涸的湖底，眼里噙满了泪水。眼前总是浮现出与女娲在一起的日日夜夜和幸福时光，这里的一草一木虽然都已经枯萎了，可都留着他们美好的记忆。他们一起在宛丘生活了几十年，无数次地在这湖边漫步，谈心，相濡以沫。如今，只剩下自己一人，心里空落落的。现在宛丘又面临着干旱，这该怎么办啊？

山上。傍晚。

伏羲带着宓妃在找水源。

他们在宛丘的深山里找了很久都没有见到水。

宓妃累得气喘吁吁。

伏羲擦去满头大汗，对宓妃说道："孩子，我们先在这棵树下歇息一会吧。"

宓妃点头："爹爹，这天真热呀！"

伏羲看着烈日炎炎的天空，皱着眉头，"没水可不行，一定要在这附近找到水，不然的话，人们都没法活了！"

宓妃："爹爹，我们都找了数日了，可还是没有找到水，你说怎么办哪！"

伏羲愁苦地说："是啊，真是没有办法！"

宓妃："爹，我们先回去吧，天快黑了！"

伏羲站了起来，突然身体摇晃了一下，他急忙扶住头。

宓妃赶紧扶住伏羲，着急地问："爹爹，你这是怎么了？"

伏羲一手扶头，摆了摆手，"不碍事，只是刚才头有些发晕，一会就会好的。"

宓妃："爹爹，你一直劳累了这么长时间，回来又没有好好地歇息，就是铁打的人也受不住啊！"

伏羲定了定神，"孩子，走吧！"

宓妃急忙扶住爹爹，慢慢朝山下走去。

茅屋。

宓妃扶着伏羲走进屋里。

伏羲疲惫地在石床上躺了下来，他的嘴唇干裂出血。

宓妃对伏羲说道："爹爹，我去给你找点水来。"

伏羲点了点头。

宓妃急忙出门，在不远处的另一茅屋内用陶器盛了一点水，快步走回来，喂给伏羲喝。

伏羲喝了一大口水，对宓妃说道："孩子，你也喝点吧！"

宓妃看了看陶器里还有一些水，轻轻抿了一口，就放在一旁，"爹爹，你渴了再喝吧，我去给你弄点吃的。"

伏羲点了点头。

数天之后，黄龙氏领着部落的人浩浩荡荡地回来了。

他们见宛丘这般荒旱的景象，全都惊呆了。

乡亲们见黄龙氏回来了，高兴地围了上去，问长问短。

黄龙氏问道："宛丘为何干旱得这般厉害？"

甲："已有很长时日了，现在连吃的东西都快没有了。"

黄龙氏急问："爹爹和宓妃他们回来了吗？"

乙："回来了，爷爷生病了，躺在茅屋里呢。"

黄龙氏对大家说道："大家一路辛苦了，都回去歇息去

吧！"

众人说道："我们先去看看爷爷吧！"……

黄龙氏点头，众人跟着黄龙氏，朝茅草屋走去。

茅屋内。

伏羲神情憔悴，闭着眼睛，躺在石床上。

黄龙氏进来，见伏羲脸色苍白，心痛地说："爹爹，孩儿回来了！"

伏羲睁开眼睛，惊喜地说："黄儿，你们都回来了！"

黄龙氏："都回来了！"

伏羲："孩子们，这一路你们辛苦了！"

黄龙氏："爹爹，虽然走了这么多时日，可大家相互照应，一路有说有笑，也不算辛苦！"

众人纷纷进来，问候伏羲。

宓妃捧着果子走了进来，见黄龙氏他们回来了，高兴地和他们打着招呼。

黄龙氏问道："妹妹，爹爹怎么病成这样？"

宓妃："爹爹本来就很劳累，回来之后又四处找水，累病了！"

黄龙氏对伏羲说道："爹爹，你以后少干些活，别这么劳累了！"

伏羲笑着说道："孩子，别担心爹爹了，你们走了这么远的路，都累了，快回去歇息吧！"

黄龙氏："爹爹，那你好好歇息，等安顿好了后，我再来看你！"

伏羲点了点头。

黄龙氏对众人说道："大家都回去吧！"

　　众人纷纷向伏羲和宓妃告辞，回家去了。

　　清晨，太阳还没有出来。

　　宓妃早早就起来了，拿着陶罐，朝旁边的高山上走去。

　　她爬上了山腰，爬过一个大悬崖，突然，她看见一个大萝卜长在大石壁上，叶子青翠。

　　宓妃奇怪地自语："这萝卜怎么会长在石壁上？"

　　她惊喜地走过去，想把它拔下来拿回去给爹爹吃。

　　宓妃双手使劲一拔，拔出一个圆圆的红萝卜。

　　石壁上出现了一个圆圆的洞眼，从洞眼里突然流出一股清澈的泉水来。

　　宓妃大喜，高声说道："我找到泉水了！"说着，急忙用陶器去盛流出来的泉水。

　　突然，一阵风刮来，红萝卜从宓妃的手中飞出，又塞进了洞眼，水不再流出来了。

　　宓妃迷惑不解，"这是怎么了？"说着，又去拔红萝卜。

　　她口干舌燥，又将红萝卜拔了出来，用嘴凑近那眼泉水，美美地喝了起来。

　　宓妃陶醉地咂吧着嘴，再次将嘴凑近泉水。

　　突然，又一阵风刮来，手中的红萝卜又飞了出去，将洞眼塞住了。

　　宓妃惊讶地左右看看，什么东西都没有。

　　她又想去拔那萝卜。

　　突然，一阵黑风刮来，将宓妃卷起。

　　宓妃惊叫了一声，被黑风卷入一个石洞中。

石洞中。

宓妃迷迷糊糊地睁开眼睛，突然发现一个满身白毛的妖怪坐在洞中，凶恶地望着她。

宓妃惊恐地向后退了几步，"你是谁？"

白毛妖怪："我是白狐精！"

宓妃质问："你为何将我掳到这石洞中来？"

白狐精："这眼泉水是我的，你竟敢偷喝我的泉水！"

宓妃："这山泉水是从石洞里流出来的，怎么变成你的了？"

白狐精凶恶地说道："这山泉水只能我独自享用，你喝了一次就算了，不许再喝了，也不许告诉任何人。你若告诉了别人，让他们来这里取水，我就杀死你！"

宓妃愤怒地看着白狐精，"这水是我们宛丘的，我就是要告诉大家！"

白狐精恶狠狠地说道："你胆敢告诉他们，我就把他们全都给杀了！"

宓妃见这妖怪异常凶恶，怕他伤及宛丘人的性命，沉默着没有说话。

白狐精："你到底答不答应？"

宓妃想了想，"你只要不伤害他们，我答应你！"

白狐精这才阴笑道："好吧，我且放你回去，但是，你可要记住了，不可与任何人说，我是说话算数的！"说着，白狐精一挥手，一股黑风卷起宓妃，将她送出洞外，最后落在山脚下。

宓妃从地上爬起来，抬头看了看那陡峭的高山，朝自家的茅屋走去。她边走边想，我要不要告诉爹爹和哥哥他们呢？如果告诉了他们，他们肯定会将那泉水拿来喝的，那岂不是害了大家？爹爹现在身体不好，还是暂且不说吧。

　　她走进茅屋，见伏羲还沉睡不醒，闷闷不乐地坐在旁边，默默地掉着眼泪。

　　伏羲醒了过来，见宓妃悄悄掉泪，吃惊地问道："孩子，你怎么了？"

　　宓妃急忙抹去眼泪，强装笑颜，"爹爹，没有什么！"

　　伏羲："还说没什么，都掉眼泪了！到底有什么心事，跟爹爹说吧！"

　　宓妃："爹爹，真的没事！"

　　伏羲："你可不要瞒爹爹啊，肯定是有什么事！"

　　宓妃："真的没事，爹，我只是看见大家找不到水，日子过得艰难，心里难过罢了！"

　　伏羲点了点头，"是啊！这没水的日子，孩子们可受苦了！我又病了，没法帮他们去找水。"说着，长长地叹了一口气。

　　黄龙氏率领众人拿着陶罐，从茅屋前经过。他走进来，对伏羲说道："爹爹，你好些了吗？"

　　伏羲坐了起来，"爹好些了！你这是去干什么？"

　　黄龙氏："我带大家去打些水来！"

　　伏羲："那你就快去吧，到那么远的地方去打水，可要花不少时间哪！"

　　黄龙氏："只有那里有水，也只能去那里打水了！"

　　宓妃心情矛盾地听着，想告诉哥哥，又怕告诉哥哥。她想了想，咬着嘴唇，没有说话。

　　黄龙氏："妹妹，你这是怎么了？"

　　宓妃掩饰道："哥，没什么！你快去吧，时候不早了！"

　　黄龙氏："爹、妹妹，那我走了！"说着，走出了茅屋，和众人朝远处走去。

宓妃走出茅屋，站在门口，呆呆地望着黄龙氏等人远去。

伏羲咳嗽起来。

宓妃急忙走了进去，"爹，你怎么了？"

伏羲喘息了一会儿，说道："爹没事！"

宓妃急忙拿起陶罐，将水喂给伏羲喝。

伏羲喝了两口，摆了摆手。

宓妃："爹，你再喝些吧。"

伏羲摇了摇头，"现在水这么缺，还是省着点吧！"

宓妃一听，难受得掉下了眼泪。她急忙起身出门，朝田地里跑去，看四下无人，失声痛哭。

她自责道："我怎么这么软弱啊！大家都没水喝，爹爹愁成这样，我该怎么办啊？"

那白狐精的声音又在宓妃的耳边回响："你胆敢告诉他们，我就把他们全都给杀了！……杀了！杀了！……"

白狐精冷酷的声音不停地在宓妃的耳边响着。

宓妃惊恐地打了个冷颤，她紧紧地捂住了耳朵。

这时，远处一个怀孕的女人捧着一陶罐水从远处走来。她不小心踢到一块石头，被绊倒在地，陶罐碎了，水洒了一地。

孕妇抚摸着肚子，坐在地上，膝盖被撞得鲜血直流，她痛苦地呻吟起来。

宓妃见状，急忙跑了过去，她扶起孕妇，急忙问道："姐姐，你没事吧？"

孕妇痛苦地抚摸着肚子，说不出话来，眼泪不停地流下来。

宓妃扶起孕妇，"姐姐，我扶你回去！"

孕妇点了点头，"谢谢你了，妹妹！"

宓妃："姐姐，这么远的路，你又有身孕，提水让男人去就

行了嘛！"

孕妇："他去找吃的了，家里没有其他人，也只好我去提水了。"说着，又孕妇呻吟起来。

宓妃心情沉重地扶着孕妇慢慢地往回走。

傍晚。

黄龙氏和众人提着大大小小的盛满水的陶罐，小心翼翼地从远处走来。

他们来到自家门口，将水放进茅屋。

黄龙氏端着水，径直来到伏羲的住处。

伏羲躺在石床上，说道："黄儿回来了！"

黄龙氏将陶罐放在石桌上，说道："爹爹，我给你打了一些水。"

宓妃静静地看着哥哥，眼里含着泪。

黄龙氏发现宓妃神色不对，急忙问道："妹妹，你这是怎么了？"

宓妃摇了摇头，没有吭声。

伏羲不解地说："这孩子是怎么了，一整天都心事重重的！"

宓妃突然放声大哭起来。

伏羲惊愕地问道："宓妃，你到底怎么了？谁欺负你了？"

宓妃扑在石桌上痛哭着。

黄龙氏着急地说道："妹妹，你快说话呀！"

宓妃抬起泪眼，对伏羲和黄龙氏说道："爹、哥哥，我找到泉水了！"

伏羲惊喜地问："这是好事啊，你哭啥？"

黄龙氏高兴地问："妹妹，这是真的？"

宓妃点了点头。

黄龙氏心急地说："那泉水在哪里？"

宓妃擦干眼泪，"哥哥，那泉水就在旁边高山的半山腰！"

黄龙氏兴奋地说："太好了，妹妹，那我们快走吧！"

宓妃点了点头，依依不舍地对伏羲说道："爹爹，那女儿去了！"说着，和黄龙氏一起走出了茅屋。

伏羲奇怪地看着宓妃出去："这孩子，怎么神色不对呀？"

黄龙氏边走边对附近的人们大声喊道："泉水找到了！大家快跟我们上山打水去吧！"

人们听见了，全都拿着陶罐，从各个地方欢呼着跑来。

宓妃对黄龙氏说道："哥哥，那泉眼很小，这么多人去，要把那泉眼凿大，这样就好取水了！"

黄龙氏点点头，对众人说道："你们回去一些人，赶快取来石斧、石凿、石锤，把那泉眼凿大些，这水就好取了！"

十几个年轻人又赶紧跑回茅屋，拿出石斧、石锤、石凿，随着宓妃和黄龙氏朝山上奔去……

众人来到半山腰，爬过大悬崖，果然看见一个红萝卜长在大石壁上。

宓妃手指大红萝卜，对众人说道："那泉水就在这里！"说着，双手用劲将红萝卜拔了出来。

一股清清的泉水涌了出来。

众人欢呼起来。

黄龙氏对大家说道："大家先不要急，我们先将泉眼挖大些，再接水不迟！"

众人纷纷响应，黄龙氏在一旁指挥着几个后生，"你们把这

泉眼凿大！"

几个后生迅速用工具凿了起来。

不一会儿，就凿了一个很大的洞。

泉水"哗哗"地流淌着，众人欢呼着，纷纷拿着陶罐盛起水来。

宓妃站在一旁，神情忧郁地看着……

突然，一股黑色的妖风朝宓妃卷来，宓妃"啊"地惊叫一声，黑风迅速地将宓妃卷走……

第八章 龙马负图

创画八卦

伏魔济世

开天辟地

　　山腰泉水旁。

　　宓妃被妖风卷走，黄龙氏大惊失色，大叫："妹妹、妹妹——"

　　众人惊愕地朝远处看去。

　　那股黑风卷着宓妃转瞬不见了。

　　黄龙氏对众人大声说道："刚才肯定是妖怪将宓妃掳走了，大家分头去找，一定要将宓妃找到！"

　　众人响应着，拿着棍棒、石斧等物，朝山林追去……

　　石洞内。

　　黑风卷着宓妃进了石洞，重重地将她摔在地上。

　　宓妃昏迷过去。

　　白狐精朝宓妃吹去一口黑气。

宓妃醒了过来，惊恐地看着白狐精。

白狐精怒目圆睁，凶神恶煞般地吼道："你竟敢不听我的话，我要先杀了你，再杀他们！"

宓妃毫无惧怕地说："你杀了我吧！"

白狐精冷笑一声："哼哼，就这样杀了你，太便宜你了！"

宓妃："那你想怎么样？"

白狐精："我要叫你躺在悬崖上，让泉水从高空冲在你身上，叫你长期受折磨！"说着，哈哈大笑起来。

宓妃眼珠一转，对白狐精说道："你既然要这样折磨我，我接受。不过，你不能杀他们！"

白狐精："好，你既然愿意一人承担，那我就不杀他们！"

宓妃："不过，你还得答应我一件事！"

白狐精不耐烦地说："你怎么这么啰嗦，什么事，快说！"

宓妃眼里含着泪水，"我想在我死之前，回去看看重病的爹爹，这样，我才能甘心！"

白狐精想了想，"好吧，我谅你也跑不出我的手掌心，我答应你回去一趟。不过，你若不来，我就封住水口，还要杀死你们那些人！"

宓妃："好，我听你的。"说着，转身欲走。

白狐精："等等！"

宓妃回头。

白狐精："你来时，不必到我这里来了，你就自己躺在悬崖上被水冲，我在洞里会知道的！"说完，挥起一掌，一股黑风将宓妃卷出洞外，将她抛到远处的一个山坡上。

宓妃爬起身来，靠在旁边的一棵巨大的古树上喘息着。

她的长发散乱。

突然，巨大的古树摇晃起来，从古树后走出一个白胡子老

头。

他笑呵呵地看着宓妃，"你就是宓妃吧？"

宓妃惊愕地看着白胡子老头，"你是谁？你怎么知道我的名字？"

白胡子老头"呵呵"笑着，"我怎么不知道，你是伏羲的女儿！你的事情我全都知道了！"

宓妃惊异地看着他，"你怎么知道的？"

白胡子老头笑道："我当然知道！那妖怪要害你，不过，我可以救你！"

宓妃惊喜地说："真的吗？"

白胡子老头点了点头，"你只要将你的长发全都给我，就可以了！"

宓妃："这是为何？"

白胡子老头："那妖怪让你躺在悬崖上被水冲，这苦你可受不了，我拿了你的长发，做了一个和你一模一样的石头人，你来看！"说着，将宓妃带到树后。

宓妃果然看见一个石头做的姑娘，和自己长得一模一样。

宓妃高兴地说："爷爷，这做得真像啊！"

白胡子老头微笑着说："只要将你的长发贴在这石头人的头上，那就更像了！"

宓妃抚摸着自己的秀发，"爷爷，我把这头发给了你，那我这头上没有了头发怎么办？"

白胡子老头笑道："这你放心，头发会长出来的。"

宓妃担心地问："爷爷，我这头发取下来之后，真的能将妖怪骗过？"

白胡子老头："孩子，你放心吧，我会做得天衣无缝的。"

宓妃："爷爷，那妖怪可厉害了！"

白胡子老头："不怕！我有办法。我做的这石头人替你受苦，一定可以将那妖怪蒙混过去的！"

宓妃高兴地说："谢谢你了，老爷爷！"说着，宓妃留恋地看了一眼自己的秀发，轻轻地抚摸了几下，咬咬牙，将头伸过去，坚决地说："老爷爷，你取吧！"

白胡子老头微笑着，用嘴吹了一口白气，宓妃的长头发全部落在他的手中。

宓妃一下子光了头，她苦笑着摸着自己的光头。

白胡子老头将宓妃的头发贴在石头人的头上，头发一下子在石头人的头上生了根。

他笑着对宓妃说道："加了这头发，你看像不像你？"

宓妃惊喜地连连点头，"像，像极了！只是这石头人太黑了。"

白胡子老头对着石头人吹去一口白气，石头人的皮肤变得雪白。

他用手托起石头姑娘，又猛地吹去一口白气。

石头姑娘径直朝泉眼飞去，紧紧地贴在泉眼上。

泉水"哗哗"地顺着长发流淌着，直向崖下流去，溅起阵阵水花。

宓妃高兴地看着，突然，眼前白光一闪，白胡子老头瞬间不见了。

宓妃大叫道："爷爷，白胡子爷爷——"

这时，古树传来白胡子老头慈祥的声音："孩子，你是个好孩子，那妖怪被蒙住了，你放心回去吧！"

宓妃感激地对古树大声说道："谢谢你了，白胡子爷爷！"刚刚说完，头上猛然长出一头乌黑的秀发。

宓妃惊喜地抚摸着头发，高兴地朝山下奔去。

宓妃感激地对古树大声说道："谢谢你
，白胡子爷爷！"刚刚说完，头上猛然长
出一头乌黑的秀发。

茅屋内。月夜。

伏羲着急地等着宓妃回来。

黄龙氏满头大汗，惊惶地跑了进来，气喘吁吁地说道："爹爹，不好了，妹妹被妖怪掳走了！"

伏羲惊愕地说："什么，你说什么？你妹妹被妖怪掳走了？"

黄龙氏着急地说道："我们刚把泉眼挖大，突然，一股黑风将宓妃卷走了，我想那肯定是妖怪！"

伏羲："难怪宓妃今日神色不对！"

黄龙氏："我们追了很远，都没追到，我就赶紧回来给爹爹报信！"

伏羲："宓妃找泉眼的时候，肯定遇上了那妖怪，不然的话，为何她带你去时，满脸忧郁之色！"

黄龙氏恍然大悟，"我当时只顾高兴，没有注意妹妹的神色，唉，都怪我啊！"

正说着，宓妃高兴地欢叫着跑进茅屋，"爹，我回来了！"

伏羲和黄龙氏惊愕地看着宓妃，一时反应不过来。

黄龙氏疑惑地问："妹妹，你不是被妖怪掳走了吗？"

宓妃："是啊，就是那妖怪把我掳走了！"

伏羲不解地问："那妖怪怎么会放了你呢？"

宓妃高兴地说："我答应了它的条件，它就把我放了！"

黄龙氏："那妖怪为何这般仁慈？"

伏羲也不相信地说："宓妃，你把事情的来龙去脉讲给我们听听！"

宓妃："我去山上寻水，发现半山腰有一个红萝卜，我想将那红萝卜拔下来给爹爹吃，不曾想，一拔下来，里面的泉水就不

停地涌了出来。我高兴地正喝着，被一个叫白狐精的妖怪掳到旁边不远处的一个石洞里。"

伏羲惊愕地说："竟有这等事？"

宓妃："那妖怪说这泉水是它的，不让我们去取，若是我说出去，那妖怪不但要杀了我，还扬言说要杀掉我们所有的人！"

黄龙氏生气地说："这妖怪竟口吐狂言！"

宓妃继续讲了起来："我当时非常害怕，不敢对你们说，后来，我实在忍不住了，就告诉了你们，被那妖怪知道了，将我掳到洞里，要惩罚我，让我躺在悬崖上被水冲，这样它就不杀大家。我答应了它的条件！"

黄龙氏惊愕地说："啊，你答应了？"

宓妃点点头，"我答应了他，也求它放我出来，再见爹爹一面！它这样才放我出来了。"

黄龙氏："原来是这样！"

伏羲："看来这妖怪不会放过你的！"

宓妃轻松地说："没事的，我把那妖怪骗过了！"

黄龙氏瞪大眼睛，"你把那妖怪骗过了？你不是答应了它，它才暂且放你出来的吗？"

宓妃："哥哥有所不知，那妖怪一股黑风将我从石洞吹到一个山坡上，旁边有一棵千年古树，我正想回家，树后走出一个白胡子爷爷。"

伏羲奇怪地问："白胡子爷爷？这里都是我的儿孙，哪来白胡子爷爷？"

宓妃："就是。他没说他是谁，他答应救我，做了一个和我一模一样的石头人，又把我的头发取了，贴在那石头人头上。他一口气吹去，将石头人送到了泉眼旁。"

伏羲点了点头，"那可能就是树神了，是他帮了你！"

黄龙氏："妹妹，这真是太好了！我还担心那妖怪来找你呢！"

宓妃笑道："也算我命大嘛！"

伏羲严肃地说："我看，这事情没这么简单，那妖怪不除，宛丘可不得安宁，你们可记得那小蟹龙，就是没有将他除掉，才屡屡来害我们！"

黄龙氏："爹爹说得对，我们一定要把它除掉！"

宓妃："那妖怪长得很凶恶，我怕我们斗不过它！"

黄龙氏："怕它什么？哥哥有驱妖镜！"

宓妃不解地说："驱妖镜？"

黄龙氏点点头，"这驱妖镜原先放在爹娘的洞口，搬到茅屋住后，我就将驱妖镜镶在茅屋的门框上了。"

伏羲："对，黄儿，你快把驱妖镜取下来，将那妖怪除了，免得它日后害人！"

黄龙氏答应一声，走到门口，踮起脚，将门口上方的驱妖镜取了下来。

宓妃接过驱妖镜，不停地看着，高兴地说："这下好了，我们不怕那妖怪了！哥哥，我们快走吧！"说着，将驱妖镜递给哥哥。

黄龙氏接过驱妖镜，揣进怀里，说道："好，我召集大家一块去！"说着，快步出门而去。

宓妃也随后跟了出去。

黄龙氏召集众人，举着火把，在宓妃的带领下，朝山上妖怪的洞穴走去。

洞穴内。

白狐精正高兴地自斟自饮，自语道："这小姑娘还真说话算

数，果然去了！"刚说完，突然听见一阵阵呐喊声传来。

他急忙朝洞口跑去，仔细一看，原来那小姑娘带着众人，举着火把，朝自己的洞口奔来。

白狐精老羞成怒，"你竟敢骗我！哼，来得正好，你们全是来找死的，我要把你们都给吃了！"说着，狠狠地将手中的酒壶一把捏碎。

远处，黄龙氏和宓妃率众人飞奔而来。

宓妃指着前面，"那妖怪就在前面的石洞里！"

黄龙氏对众人喊道："快，妖怪就在前面石洞里！"说着，领头跑去。

众人紧随其后。

宓妃和黄龙氏领着众人来到洞口，正欲进去。

白狐精站在洞口高处，狞笑道："你们这帮人，还想来抓我？"

黄龙氏怒喝道："妖怪，拿命来！"

白狐精凶恶地说："我今日要让你们尝尝我的厉害！"

宓妃愤怒地说道："白狐精，你害人不浅，今日就是你的死期了！"

白狐精用利爪指着宓妃，"你竟敢骗我，我先杀了你，再杀他们！"

宓妃大声喝道："妖怪，快下来受死！"

白狐精气得双目圆瞪，"你竟敢口吐狂言！"说着，猛地伸出利爪。

利爪迅速地伸长变大，朝宓妃的面门凶恶地抓去。

黄龙氏见妖怪将利爪伸向宓妃，大叫一声："闪开！"说着，一把将宓妃推向一旁，将驱妖镜朝利爪照去。

白狐精猝不及防，利爪被驱妖镜照住，痛苦地大叫一声，急

忙将利爪缩了回去。

白狐精大惊失色，摸着被击伤的利爪，怒喝道："你这是什么东西？"

黄龙氏得意地说："让你尝尝你黄爷爷的驱妖镜的厉害！"

白狐精："驱妖镜？"

黄龙氏也不回答，又朝白狐精照去。

白狐精知道了驱妖镜的厉害，急忙飞向高空，乘机朝众人吹去一口黑气。

顿时，狂风大作，将众人卷起，又重重地摔在地上。

众人痛苦地"哎哟哎哟"地呻吟着。

白狐精在空中得意地哈哈大笑起来。

黄龙氏大怒，拿着驱妖镜，又朝妖怪照去。

白狐精躲避不及，被驱妖镜射出的一束金光团团罩住。

它痛苦地掉在地上，缩成一团，现出了原形，原来是一只白狐狸。

黄龙氏还不解恨，继续用驱妖镜照住它，愤怒地说道："妖怪，我看你往哪里逃？"

白狐精痛得在地上打着滚，哀求道："爷爷饶命！爷爷饶命啊！"

宓妃高兴地说："白狐精，你现在知道我哥哥的厉害了吧？"

白狐精哀求道："知道了，知道了，快放了我吧！"

黄龙氏："放了你，你以后还会出来作恶的！"

众人大喊道："打死它！打死它！"……

众人挥起石锄、石斧、棍棒，朝白狐精劈头盖脸地砸去。

白狐精顿时被砸成了一团肉泥。

众人欢呼起来："妖怪被打死了！妖怪被打死了！"……

众人簇拥着黄龙氏和宓妃，欢呼着朝山下走去……

茅屋。

伏羲正站在茅屋前，微笑地看着从山上除妖回来的人们。

宓妃高兴地朝伏羲跑来，大声叫道："爹爹，妖怪被我们打死了！"

黄龙氏也兴奋地朝伏羲喊道："爹爹，妖怪被除掉了！"

伏羲笑呵呵地迎上前去，"孩子们，这下好了，除了妖怪，我们又有水喝了，这日子慢慢就好过了！"

众人来到伏羲身旁，七嘴八舌地说着："爷爷，那妖怪原来是一只白狐狸！""爹爹的驱妖镜真厉害，将它一照，就现了原形！""那妖怪独霸着泉水，不让我们喝，让我们受了这许多日子的罪，没有了水，差点都活不下去了！"……

黄龙氏大声对众人说道："现在妖怪除了，水也有了，时候不早了，大家都回去睡觉吧！"

众人高兴地纷纷离去。

伏羲、黄龙氏和宓妃朝茅屋走去。

三人坐在门口说着话。

黄龙氏对宓妃说道："妹妹，这次找到泉水，这都是你的功劳啊！"

宓妃笑道："哥，这有什么？你将那妖怪杀了，这才是大功劳呢！"

伏羲欣慰地说："这下好了，妖怪除了，水也有了，这往后的日子就好过多了。"

宓妃："是啊，以后大家不用再去那么远的地方找水喝了。"

伏羲："有了水，这地里的禾苗就有救了！"

黄龙氏对伏羲说道："爹爹，我明日就让大家去山上将泉水引入田地浇灌。"

伏羲高兴地连连点头，"这样好，这样好！"

清晨，太阳出来了。

陡峭的石壁上，那股泉水喷涌而出，顺着石头姑娘的长发，如白练倾泻而下。

黄龙氏率领着众人，扛着工具来到山上，高兴地看着喷涌的泉水，欢呼起来。

黄龙氏笑着大声说道："我们现在挖一条沟，将这泉水引入山下的田地里，浇灌田里的禾苗，大家明白了吗？"

众人齐声："明白了！"

黄龙氏："那我们快动手吧！"

众人高兴地在黄龙氏的指挥下，开始挖起沟来……

水渠没几天就被挖好了。

黄龙氏指挥着大家，将山泉水引入田里，浇灌着干涸的田地，禾苗渐渐地开始变绿了。

不久，又下了几场大雨，人们高兴地在雨中狂呼着、欢笑着。

湖水也渐渐涨了起来，山川大地开始泛绿了。

伏羲见消除了旱灾，心情舒畅起来，不久，病也好了。

他常常呆呆地坐湖边，想起和女娲在一起的日子，他后悔自己不懂医术，要是自己懂得医术该多好啊，女娲也不会那么快就死了。他痛定思痛，下决心要学会使用草药。他一有空，就往山上跑，将草药采来，亲自品尝，了解它的药性。他通过不断的尝试，慢慢知道了哪些草药能治什么病。他将积累下来的经验传授给儿孙们，让他们防病治病。

　　这天，伏羲早早起来，背起一个竹篓，拿了把小石锄，走出茅屋，朝山林中走去。

　　他来到林中，四处寻觅着草药。

　　他不停地挖着，把草药放在背篓里。

　　他突然发现不远处一条小花蛇围住一株小草，便朝前走去。

　　小花蛇受惊，窜入草丛不见了。

　　伏羲将那株小草用药锄挖了出来，仔细端详着，只见小草长了七片叶子，一枝火红的花朵鲜艳欲滴。

　　伏羲小心地将这株小草放入竹篓，又四处寻觅起来……

　　远处，宓妃呼唤着伏羲："爹爹、爹爹，你在哪里？"

　　伏羲站起身来，擦去脸上的汗珠，大声回答："我在这儿！"

　　宓妃循声跑了过来，累得气喘吁吁。

　　她突然"哎哟"大叫一声，痛苦地蹲了下来，摸着被小花蛇咬伤的脚踝。

　　伏羲惊愕地叫道："宓妃，你怎么了？"说着，急忙跑了过去。

　　宓妃痛得龇牙咧嘴，"爹爹，刚才一条小花蛇咬了我一口……哎哟，好痛啊！"

　　伏羲急忙说道："让爹爹看看！"说着，蹲下身，仔细检查起宓妃脚踝的伤口。

　　宓妃的脚踝肿得很大。

　　伏羲想了想，急忙拿出刚才挖出的那株小草，把小草放在嘴里嚼碎，吐在手掌上。

　　他将草药敷在宓妃的伤口上，用树叶扎紧。

　　宓妃："爹，这管用吗？"

这天，伏羲早早起来，背起一个竹篓，拿了把小石锄，走出茅屋，朝山林中走去。他来到林中，四处寻觅着草药。他不停地挖着，把草药放在背篓里。

伏羲："爹也不知道，刚刚我看见一条小花蛇围住这株小草，觉得奇怪，就挖了出来。你现在被蛇咬伤了，先敷在上面试试。"

宓妃痛苦地说："爹，我的脚好痛哦！不知道这草药有没有用？"

伏羲："孩子，你别急，爹扶你回去，在家里歇息歇息，看这草药消不消肿，去不去毒。"

宓妃无奈地说："好吧！"

伏羲扶着宓妃慢慢朝茅屋走去。

宓妃边走边说："爹爹，你敷了这草药，我现在感觉没有刚才那么痛了，已经好多了！"

伏羲惊喜地问："真的？这草药这么灵？"

宓妃高兴地说："是真的！不太痛了！"

伏羲兴奋地不停地点头，"孩子，不痛了就好！这草药还真灵！"

宓妃："爹爹，你怎么想到要去挖草药啊？"

伏羲："孩子，这天下这么多人，有个头疼脑热的，都不知道怎么治，我要多了解一些草药的药性，传给儿孙们，让他们学会自己治病。"

宓妃担心地说："爹爹，这山上全是草，你知道哪些是草药？很多都是有毒的，你乱品尝，是很危险的！"

伏羲笑道："傻孩子，那草药我只品尝一点点，没事的。"

宓妃："爹爹，那我以后陪你一块去采药吧！"

伏羲高兴地说："好啊！等你脚好了，我们就一块去！"

宓妃兴奋地跳了起来，突然痛苦地"哎哟"叫了一声，蹲下身去。

伏羲急忙问道："宓妃，是不是伤口痛啊？"

宓妃不好意思地笑道："爹爹，我刚才是高兴得跳了起来，忘了脚伤！"

伏羲疼爱地点了一下女儿的鼻子，"你呀……"

父女俩相视而笑，站起身来，慢慢朝茅屋走去。

第二天，宓妃起来，拿掉裹住脚踝的树叶，仔细看着自己的伤口，发现脚全都消了肿，也不痛了，她高兴地站起来，跳了几下，大声叫着："爹爹，爹爹，我的脚不痛了！我的脚不痛了！"

伏羲正在门口整理草药，听见宓妃的叫声，急忙走进茅屋。

宓妃兴奋地说："爹爹，我的脚真的不痛了！"说着，跳了几下。

伏羲高兴地说："太好了！这草药还真管用！"

宓妃坐下，伸出受伤的脚踝，"爹爹，你瞧，全好了！"

伏羲笑着直点头，"好了就好！好了就好！"

宓妃："爹爹，你采的草药叫什么呀？"

伏羲挠了挠头，笑着说道："爹爹也不知叫什么好，我看这草药长着七片叶子一枝花，就叫它七叶一枝花吧。"

宓妃拍手道："七叶一枝花，这个名字好听！我要把这草药告诉大家，若是被蛇咬伤了，就用这七叶一枝花！"

伏羲："孩子，我们要多采些草药，以备急需。"

宓妃："爹爹，我陪你一块去吧！"

伏羲高兴地说："好啊！"说着，从墙角背起药篓，拿起小药锄，"孩子，走吧！"

宓妃看着父亲这一身打扮，笑着说道："爹爹，我见你这身打扮，好像药仙爷爷呢！"

伏羲边说边朝外走，"你爹要有药仙爷爷那本事就好了！"

宓妃也随手拿了个小竹篮挎在手上，跟在伏羲身后，边走边

说："爹爹，你肯定会和药仙爷爷那样厉害的！"

伏羲笑道："要是那样就好了，天下的儿孙们就少病少灾了！"

伏羲和宓妃边走边说，走进了密林深处……

湖边。傍晚。

伏羲一个人静静地坐在湖边，看着夕阳慢慢落下。

他在沉思着，为什么夕阳落下的时候就成了黑夜，为什么太阳升起的时候就是白天。他看着身旁盛开的牡丹花和周围蓊郁的树木，为什么它们花开又花落，叶绿又叶黄，果子慢慢长大，成熟又掉落，为什么……

伏羲百思不得其解，他经常在湖边、山上苦思宇宙的奥秘。他仰观日月星辰的变化，俯察山川风物的法则……

茅屋内。

伏羲、黄龙氏和宓妃坐在一起说着话。

宓妃："爹爹，这段时日来，你总是坐在湖边，一坐就是很久，你到底在想什么啊？"

伏羲笑道："我在想，这白天为何会变成黑夜，太阳为什么升起又落下，草绿了又枯黄……"

宓妃笑道："爹爹，这很正常呀，你想这些干什么？"

伏羲："我总觉得这里面有些什么奥妙，可就是参不透！"

黄龙氏："爹爹，那你就别想了，想了也无用。"

伏羲："做什么都不是这么容易的。如果能将这些疑问解开，那就能给儿孙们造福了！"

黄龙氏："爹爹，我还没有想这么多呢！"

宓妃笑道："爹爹就是什么都爱想！你采了这上百种草药，

经常给大家治病，居然也有效！"

黄龙氏也称赞道："爹爹采的这些草药还真管用，病人吃了，全都好了！"

宓妃："爹爹，要是你早些懂草药就好了，娘也就有救了！"

伏羲心情沉重地说："也就是因为你娘的死，对我震动很大，所以我才想着要多懂一些草药，教给天下的子孙们，可不要有病时再给耽误了！"

黄龙氏："爹爹，我现在也懂得了一些草药的用处。"

伏羲笑着说道："多学些东西，对自己有好处啊！"

黄龙氏点了点头。

伏羲对黄龙氏说道："黄儿，我想近日到成纪去看看。"

黄龙氏吃惊地问："爹爹，你去成纪干什么？"

伏羲感慨地说："爹爹一岁多就离开了那个地方，如今爹爹老了，想到那里去看看。"

黄龙氏："你为何突然想去成纪？"

伏羲："爹爹总在想，那生我的地方很神奇，一定还有些东西有待我去发现。而我在很小的时候就离开了，记忆也很模糊了，所以我想去看看。再者，那毕竟是我出生的地方，人老了，总想去看看，要不，也许看不上了！"

黄龙氏："爹爹，你别说这话，你想去就去吧，这里有我呢！"

伏羲："爹走了，可能会有一段时日，你可要多操点心啊！"

黄龙氏点了点头，"爹爹，你放心吧！"

宓妃："爹爹，那地方好玩吗？"

伏羲："傻孩子，你就知道玩，那地方可美了，山清水

秀！"

宓妃："那成纪有宛丘美吗？"

伏羲："在我的想像中，那地方和宛丘一样美。"

宓妃："爹爹，我陪你一起去！"

伏羲："你就别去了，和你哥哥在一起吧。"

宓妃不高兴地撅起了嘴，"我不，我要去！"

黄龙氏："爹爹，你就让她去吧，有妹妹在身边，也有个照应。"

伏羲想了想，对宓妃点了点头，"好吧，你就陪爹去吧！"

宓妃高兴地跳了起来，"太好了，我要去成纪了！"

一个阳光明媚的早晨。

伏羲和宓妃告别宛丘的人们，乘着麒麟和凤凰朝西北方的成纪飞去。

天空阳光灿烂，鸟儿在蓝天自由地飞翔。

宓妃高兴地在空中"格格"笑着："这天和地真美啊！"

伏羲看着女儿，心情也特别高兴。

宓妃稳稳地坐在凤凰背上，紧紧搂着凤凰的脖子，欢快地笑着。

远远地，成纪出现在眼前。

伏羲和宓妃高兴地举目望去。

蜿蜒的渭河水像玉带一样流向远方。

渭河两岸伟岸的高山层峦叠翠。

山中的小溪莹洁而柔美。

艳丽多姿的花草长满了山间和田野。

人们在田地里辛勤地劳作。

一些人在渭河边捕鱼，一些人在山上采果，一些人在林中打

猎。

欢快的笑声回荡着。

伏羲高兴地指着那熟悉的渭河水，对宓妃说道："孩子，你看，成纪是不是很美？"

宓妃在空中看着，不停地啧啧称赞："爹，真的好美啊！"

伏羲指着渭河边开满鲜花的草地，说道："那里就是爹爹出生的地方！"

宓妃好奇地问："爹爹，你就出生在那里？"

伏羲动情地点了点头，他一边回忆着，一边说道："是啊！这么多年过去了，爹爹又来到了这出生的地方！"

麒麟和凤凰欢快地鸣叫着，降落在这片风景如画的草地上。

伏羲和宓妃跃下坐骑。

一大群男男女女朝他们跑来。

跑在最前面的是首领黑龙氏。

他大叫着："爹爹，妹妹——"

伏羲和宓妃高兴地迎上前去。

黑龙氏兴奋地说："爹爹，你们怎么有空来成纪？"

伏羲："爹爹从小离开这里，到如今已数十年过去了，很想念这里，就让宓妃陪我一起来了。这里还像以前一样美啊！"

黑龙氏："爹爹，你这次来了，就别走了，和妹妹留在这里吧！"

伏羲笑道："我只是来看看，还是要回去的。"

宓妃高兴地说："哥哥，你怎么知道我们来了？"

黑龙氏笑道："你们骑着麒麟和凤凰，我们远远就看见了！"

众人跑到伏羲和宓妃面前，将他们团团围住，纷纷问道："爷爷，以后住在这儿别走了！""爷爷，我们这儿也不比宛丘

差！""姐姐，你和爷爷就别走了，留在这儿吧！"……

伏羲对众人说道："孩子们，我们这次来，是想看看你们，也想多住些时日！"

众人欢呼起来："好！好！"……

黑龙氏："爹爹，妹妹，我们走吧！"

众人簇拥着伏羲和宓妃，兴高采烈地朝茅屋走去。

渭水河边。夜晚。

众人围着一堆堆篝火，欢快地笑着，吃着，闹着。

伏羲和宓妃津津有味地吃着烤好的鱼肉。

黑龙氏对伏羲和宓妃说道："爹爹，妹妹，你们多吃些！"

宓妃高兴地说："这成纪的鱼比宛丘的还好吃！"

伏羲也笑着说："嗯，味道真的很鲜美！"

这时，一群漂亮的女孩跳起了欢快的舞蹈，一群小伙子也跟着跳了起来。

几个小伙子吹起了长笛、笙和箫。

伏羲高兴地看着，满脸笑容。

有几个人过来，拉起宓妃往人群里跑去。

宓妃也跟着大家跳了起来。

众人边跳边唱，欢乐的歌声传得很远很远……

伏羲到了成纪之后，高兴地四处查看。他见这里山清水秀，五谷丰登，儿孙们和睦相处，整个部落劳作有序，心里非常高兴。

这一日，他信步来到三阳之地，只见四周青峰翠谷，丛林蓊郁。

伏羲被这美景所吸引，他健步登上高山，走上一平台，眼前

豁然开朗。

他盘腿坐在高台上，极目远眺。只见渭河水由西向东悠悠流淌，形成了一个巨大的"S"形。渭河中流耸出一个高丈余的圆圆的石头。渭河的南面和北面层峦叠嶂，呈外弓形，若抱若合。整个三阳川犹如一幅巨型的太极图，阴阳的分界就是渭河。

伏羲坐的这个平台犹如龙首（即上龙头），南山众脉如龙身，至马嘴山形成南山卧龙。导流山与马嘴山相对，如龙首（即下龙头），北山众脉如龙身，至平台对面的高山，形成北山卧龙。两龙首尾合围，构成太极图的边缘。

伏羲专注地看着这奇异的山水，浮想联翩，突然，他脑子里闪现出一道灵光。

他看着眼前奇异的山水，边看边用树枝在地上画着。画完之后，展现在面前的是一幅壮观的太极图。

伏羲惊奇地看着地上的太极图，久久地思索着，喃喃自语："这幅图说明了什么呢？"

他站起来，边沉思边在高台上踱起步来，百思不得其解。

从此，伏羲每日都来到这个高台上，盘腿坐在那里，苦苦地思索着这奇异的景象和宇宙的奥秘，仰观日月星辰变化，俯察山川风物的法则。感觉告诉他，这幅图里一定暗藏着天机。

这日清晨，太阳刚刚出来，霞光万道，眼前的山河一片锦绣。

伏羲又登上了高台，像往日一样盘腿坐在高台上画了起来。

他边画边思索着。

突然，一声巨响惊天动地。

伏羲坐的平台摇晃了一下，他猛地抬头望去，只见西北方向古树掩映的山笼罩在一片五彩祥瑞之中。

伏羲惊愕地看着。

那五彩祥瑞朝四周弥漫开来。

又一声惊天巨响，山腰突然火星飞溅，豁然分开，只见一只似龙似马的怪兽"嗷"地大吼一声，从山腰振翅飞出，悠然飞落在渭河中流那块圆圆的石头上。

龙马在石头上温顺地看着伏羲。

伏羲也惊喜地看着龙马，只见它身上通体卦爻分明，闪闪发光。那河中圆圆的石头此时也幻化成立体太极，阴阳缠绕，光辉四射。

伏羲深深地被震撼了，他目光如炬，突然彻底洞穿了天人合一的奥秘。原来天地万物竟是如此的简单明了——唯阴阳而已。茫茫宇宙天地，像一个巨大的圆，天、地、人三者皆生于太极之中。

这龙马背负的太极神图深深地印入伏羲的脑海。

伏羲兴奋地看着龙马背上的图，用树枝在地上画了起来。

他画了一个圆，用"S"的曲线，将圆分割成两部分，如两条游鱼，又似两条龙紧紧地相抱结合。阴阳结交，虚实相间，头尾相接，将天、地、人三者的地位和关系，以彼此的生克依存，预示着彼此的生死存亡。

伏羲用最简单的符号"—"表示阳，以"‐ ‐"表示阴。他在地上画了八个符号：天（乾）、地（坤）、雷（震）、风（巽）、水（坎）、火（离）、山（艮）、泽（兑）。每个符号代表一个卦形，同时代表了同一属性的许多事物。例如乾卦代表了"天"、"父"、"王"、"金"等；坤代表"地"、"母"、"布"、"釜"等。每一个卦形既有象，又有数和术。他以一画为标准，实画（连）为阳爻，断画（断）为阴爻，依次排列在太极的周围，形成八卦，以此定了天地宇宙方位。

伏羲一画开天，开物成雾，终于从龙马背负的图上，参悟了

八卦，知晓了天地的奥妙。

他画完龙马身上的图，将它深深地印入脑海。那龙马仿佛有灵性，知道他记住了，朝他点了点头。

伏羲也兴奋地朝龙马笑着点头。

龙马突然吼叫了一声，腾空而起，振翅飞去，耀眼的金光笼罩着它……

伏羲激动地站起身来，眼中含泪，目送着龙马消失在天际。

他又重新盘腿坐下，在地上不停地画了起来……

（后人将伏羲发明八卦的这座山取名为卦台山，龙马飞出的那座山叫做龙马山，山腰之洞取名为龙马洞，渭水河中的那块圆石取名叫分心石。）

第九章
伏羲治沉疴
伏魔济世
开天辟地
寻觅仙草

渭水河畔。

伏羲兴冲冲地走下山，朝渭水河畔的茅屋走去。

黑龙氏和众人纷纷朝他跑来。

宓妃跑在最前面，她大叫着："爹爹，刚才那是什么怪物啊，往天上飞去了！"

伏羲笑呵呵地迎上前去，"你们都看见了？"

众人纷纷围住伏羲："爷爷，那怪物是什么，你知道吗？"

伏羲笑道："那可不是怪物，那是一匹吉祥的龙马！"

宓妃："龙马？"

黑龙氏也不解地问道："那是龙马，怎么从来没有见过？"

伏羲激动地说："它可是我们人类的福音哪，我们的子孙后代都要感谢它！"

宓妃："爹爹，你越说我越不明白了，它给我们带来什么福音了？"

伏羲："到时你就知道了！"

黑龙氏："这龙马从何而来？"

伏羲用手一指，"就是从那座山中飞出来的。"

众人纷纷问道："爷爷，刚才那巨响是龙马发出来的吗？"

伏羲笑着点了点头，"孩子们，爷爷今日高兴，你们给我弄点好吃的来！"

众人齐声应道："好！好！"纷纷离去。

黑龙氏："爹爹，你今日怎么这么高兴呀？"

伏羲笑道："爹爹发现了天地的奥秘，怎么能不高兴呢？"

黑龙氏惊奇地问："天地的奥秘？"

伏羲："是啊，这天地的奥秘终于让我悟出来了！"

宓妃："爹爹，你就是看见那龙马才悟出来的吗？"

伏羲高兴地点着头，"孩子，你真聪明！"

宓妃："我现在明白了，难怪爹爹说我们要感谢那龙马呢！"

黑龙氏："爹爹，你先去歇息，每日这样奔波，太累了！我去准备好吃的给你端来！"他又朝宓妃说道："妹妹，你快扶爹爹进屋去吧！"

宓妃答应一声，扶着伏羲朝茅屋走去。

茅屋内。

宓妃扶着伏羲走进茅屋，说道："爹爹，你在屋里躺一会儿吧，等哥哥端来吃的，我再叫你。"

伏羲点了点头，走向石床。

宓妃扶着伏羲在石床上躺下，走出了茅屋。

伏羲躺在石床上，闭着眼睛，想着今日的事情，越想越激动，干脆坐了起来，用烧了一截的树枝在石床前的地上画画。

他越画越高兴，竟大叫起来："真是妙哉！"

宓妃坐在门口，听见爹爹大叫一声，吓了一跳，急忙跑进屋，"爹爹，你刚才叫什么？"

伏羲笑着摇手，"没叫什么！"

宓妃疑惑地说："没叫什么？我在门口，被你吓了一大跳！"

伏羲又埋头画了起来。

宓妃见伏羲在画着什么，奇怪地问："爹爹，你这画的是什么？"

伏羲头也不抬，"八卦图！"

宓妃："八卦图是干什么的？"

黑龙氏端着鱼、肉和水果走了进来，"爹，我给你拿吃的来了！"

伏羲不停地画着，说道："你先放着，我等会儿吃。"

黑龙氏答应一声，将吃的放在石桌上，走过来不解地看着伏羲画的图，问道："爹爹，你在画什么？"

伏羲："孩子，我这是在画八卦！"

黑龙氏："画这八卦有何用？"

伏羲："用处可大呢。"

黑龙氏："爹爹，别画了，快吃东西吧！"

伏羲对黑龙氏和宓妃说道："你们都过来看，我来告诉你们这八卦的妙处。"

黑龙氏和宓妃蹲下身来，仔细地看着地上的图案。

伏羲指着地上的八卦图说道："懂得了这八卦，就可以趋吉避凶，遇难呈祥，就能了解天地万物的规律。懂得天理、地理、人理的奥秘。"

黑龙氏和宓妃似懂非懂地点着头。

伏羲继续说道："这'—'为阳，'－－'为阴。"

黑龙氏："阴、阳说明了什么？"

伏羲："阴、阳就是天地万物的奥秘。"

宓妃好奇地说："爹爹，你能说得明白些吗，我都听不懂呀！"

伏羲说道："简单地说，就是天为阳，地为阴；男为阳，女为阴……"

伏羲深入浅出地说着，黑龙氏和宓妃坐在一旁静静地听着，仔细地揣摸着……

渭水河边。

夜晚，明月皎洁。

伏羲一个人坐在河边，凝视着河水，还在想着龙马身上的图案。

这时，白龟从河中游了过来。

伏羲发现白龟，急忙站起来，朝水中走去，惊喜地大叫着："白龟，好久不见了！"

白龟笑呵呵地说："伏羲，你来成纪了，还记得我送过你吗？"说着，游到岸边。

伏羲跟着上岸，笑道："当然记得你的大恩大德，我怎能忘记呢？"

白龟："一晃就几十年了，你也老了，怎么突然想到回成纪呢？"

伏羲："就是因为老了，才想回久别的故乡看看。"

白龟笑道："这次来有何收获啊？"

伏羲高兴地说："收获可大了！"

白龟："哦？说来听听！"

伏羲："今日我在一座山上，看见了龙马，悟出了八卦。"

　　白龟呵呵地笑道："伏羲，这八卦可是很难悟的。"

　　伏羲深有同感地点点头，"是啊，确实难悟。我花了不少的时日观察，今日龙马终于点通了我。"

　　白龟："伏羲，你虽然悟出了八卦，但是，这八卦可是天地的奥秘，还有很多很多的东西需要你去发现，所以，你不能忘乎所以，需静心观察，全心参悟。"

　　伏羲感激地点着头，"白龟，多谢你的指点！"

　　白龟笑道："我们是老朋友了，我再让你看一样东西。"

　　伏羲："什么东西？"

　　白龟："你走近来，看看我的背上。"

　　伏羲走近白龟，白龟一动不动，伏羲仔细地观看着白龟背上的裂纹，突然惊喜地有所发现。

　　白龟背上的上、中、下三块裂纹，昭示天、地、人。其上一块，其下一块，总共五块把中央和外围连为一体，昭示天下万物的金、木、水、火、土。

　　白龟伸长脖子，从口中传出水声、风声、雷声。伏羲仔细听着。他又朝龟背上看去，眼前仿佛出现天象、地象、山象、泽象、火象。

　　伏羲仔细地看着龟背，见八块龟纹的外围，相继出现了二十四块小龟纹。

　　他看着这二十四块小龟纹，联想到天气的变化，顿时感悟到，人间的天气变化均在这二十四节循环图上。

　　伏羲大喜，对白龟说道："白龟，感谢你又帮了我的大忙！"

　　白龟微笑着说："我知道你今日见了龙马，所以，才来点化你。好了，我也该走了。"说着，一道金光闪过，白龟倏然不见了。

伏羲激动地看着白龟消失的方向，大声道："白龟，谢谢你了！"

他送走白龟，继续日以继夜地探索着八卦的奥秘。他跋山涉水，披星戴月，反复观察着天地万物的变化，不断地验证着八卦的正确性……

伏羲痴迷地研究着八卦，到了废寝忘食的地步。有时候几天都找不到他的人，黑龙氏和宓妃看着父亲不顾一切的钻研八卦，都为伏羲的身体深深地担忧着……

茅屋前。中午。

伏羲站在茅屋前，仰望万里无云的天空沉思着。

宓妃端着一碗水从屋里走出来，"爹爹，喝点水吧。"

伏羲接过碗，喝了一口，抬头看着天空。

宓妃也朝天上看去，什么也没看到，疑惑地问道："爹，你朝天上看什么啊？"

伏羲仍看着天空，说道："奇怪，从卦象上看来，今日午时必定有雨，何故太阳高照，丝毫没有下雨的迹象？"

宓妃这才醒悟过来，"爹爹，原来你是在看天象，我看你琢磨八卦都快走火入魔了。"

伏羲："我发明了八卦，就要验证它的正确性。这八卦包含了世间万物，以后儿孙们可以借助八卦预测现在和以后的事情了。不把它搞明白，内心难安哪！"

宓妃心疼地说："爹爹，你看你，费了这么大的精力，累成这个样子！我还以为你是到成纪来游玩的，谁知你竟研究起八卦来了，早知道这样，我就不来了。"

伏羲抚摸着宓妃的肩头，"孩子，我知道你担心爹累着，可是这累值得啊！你知道吗，如果将它悟透，将永远地造福后世子

孙啊！"

宓妃动情地说："爹爹，我知道你是为儿孙们好，可你也要注意自己的身体呀！"

伏羲点了点头，"爹爹会的，你不要担心了！"

宓妃："爹爹，你刚才说天上要下雨，可这天气这么好，怎么会下雨呢？"

伏羲："我也正感奇怪，明明卦象上显示是雨天的。"说着，又朝天空望去。

天空艳阳高照。

宓妃："爹爹，你是不是算错了？"

伏羲想了想，"也许是我算错了，我再算算！"说着，将碗里的水喝了大半，将剩余的水顺手倒在地上。

突然，天空乌云翻滚，电闪雷鸣，太阳隐在乌云中不见了。

伏羲和宓妃惊异地看着。

宓妃高兴地说："爹爹，你算得真准啊，果然要下雨！"

伏羲也兴奋地说："我说呢，昨晚我就算了，今日午时要下雨，我还以为真的算错了。"

宓妃："爹爹，你真神了！"

这时，黑龙氏从远处跑来，来到伏羲身边，"爹爹，快下雨了，你们还在站在门口干什么？"

宓妃抢着说道："你不知道，爹爹昨晚就算到今日要下雨，所以站在门口看呢。"

黑龙氏吃惊地问道："爹爹，真的？"

伏羲点了点头。

黑龙氏："爹爹，你是怎么算出来今日要下雨的？"

伏羲笑道："这就是八卦的奥秘！"

黑龙氏高兴地说："爹爹，这真是太好了，天上何时下雨，

何时天晴，都能知道，那以后要发生什么事情，通过八卦不是都可以知晓了？"

伏羲点头说道："这八卦能为我们揭示天地万物的一些规律。"

黑龙氏心急地说："爹爹，你也教教我吧！"

宓妃："爹爹，我也要学！"

伏羲笑呵呵地说道："只要你们肯学，我都教给你们！"

宓妃高兴地叫道："太好了！太好了！"

黑龙氏："学了这东西，以后可就方便多了！"

伏羲笑道："以后啊，我还要让天下的儿孙都来了解八卦，参悟八卦，让它多多造福于人类！"

空中，又一声炸雷响起，闪电划破长空。

豆大的雨点"劈里啪啦"地下了起来。

宓妃双手捂住头，对伏羲和黑龙氏大叫着："爹爹，哥哥，下大雨了，快回屋吧！"说着，跑到茅屋门口。

黑龙氏对伏羲说道："爹，快进屋吧！"说着，也跑向茅屋，站在门口。

伏羲站在原地，一动不动，高兴地看着飘落的雨滴。

狂风夹着雨点扑面而来，不一会儿，下起了倾盆大雨。

黑龙氏和宓妃在门口大叫着："爹爹，快进屋吧！"

伏羲仿佛没有听见，他跑向河边，激动得泪流满面，张开双臂仰天大叫："下吧！下吧！……"

宓妃和黑龙氏急忙跑向雨中，大声叫喊着，朝伏羲奔来。

宓妃："爹爹，快回去吧！"

黑龙氏："爹爹，雨这么大，快回来呀！"

两人飞快地跑到伏羲的身边，拉着伏羲欲往回走。

伏羲兴奋地拉住宓妃和黑龙氏，激动地大声说道："孩子

们，你们知道吗？这是苍天给我们的恩赐啊！"

乌云翻滚的天空，暴雨倾盆而下。

一声声惊雷不停地炸响，一道耀眼的闪电划过长空，照亮了伏羲三人雕塑般的身影……

渭水河畔。

河边草地上。

黑龙氏部落的人们簇拥着伏羲来到河边。

小伙子们吹起了竹笛、笙和箫，姑娘们跳起欢快的舞蹈。

众人在草地上载歌载舞。

伏羲在人群中高兴地看着、笑着。

黑龙氏高高举起太极八卦图，高声对大家说道："这就是爷爷给我们发明的八卦！"

众人大声欢呼起来，将伏羲高高举起……

欢快的笑声响彻云霄。

清晨。

伏羲沿着渭水河畔，一个人默默地走着，四处看着。

他慢慢地朝卦台山走去。

太阳从东方冉冉升起，霞光万丈。

伏羲迎着灿烂的朝阳，登上了卦台山顶。

他极目远眺，望着这秀美的山川河流，无限深情地喃喃自语："成纪，我的故乡，不知何时才能再见到你！"说完，眼泪夺眶而出。

他久久地伫立在卦台山顶，望着对面的龙马山和渭河中流的分心石，心潮澎湃，眼前又浮现出龙马破山而出的壮丽景观和龙马身上熠熠生辉的八卦图样。

伏羲的眼中充满了无限的憧憬……

茅屋内。

黑龙氏和宓妃正坐在一起，高兴地谈笑着。

伏羲走了进来。

宓妃："爹爹，你去哪了？"

伏羲："爹爹出去走了走。"

黑龙氏："爹爹，你累了吧，快坐下歇歇。"

伏羲坐下，笑着问道："你们在说些什么呢？"

宓妃："哥哥在给我讲他们打猎的趣事。"

伏羲："难怪老远就听到你们的笑声。"

伏羲和黑龙氏、宓妃谈笑了一会儿，渐渐转入正题。

伏羲对黑龙氏说道："孩子，爹爹来成纪很长时日了，也该回去了！"

黑龙氏有些不舍地说："爹爹，你为何突然要走呢？和妹妹就在这里别走了。"

伏羲："天下的事我都管着，宛丘是中央，四面八方的部落首领有事都要到宛丘找我议事，我长期不在宛丘不行啊！"

黑龙氏："反正有哥哥在那里，也可以代管着。"

伏羲摇了摇头，"那不行，黄儿他只是中原部落的首领，天下的大事必须要我才能决定。"

宓妃："爹爹，成纪这么美，我都不想走了。"

黑龙氏："爹爹，那不如再多待些日子再走吧？"

伏羲："爹爹何尝不想在成纪多待些时日，只是天下事情太多，爹爹心有不安哪！"

宓妃："爹爹，那我们何时动身呢？"

伏羲："即刻动身吧。"

　　黑龙氏依依不舍地说："爹爹，你为何说走就走啊？我还没对大家说呢。"

　　伏羲："赤儿，你就别惊动孩子们了，省得他们又来挽留。"

　　黑龙氏无可奈何地点了点头。

　　宓妃问道："爹爹，现在就走吗？"

　　伏羲点了点头，"现在就走吧，你收拾一下东西。"

　　宓妃答应一声，急忙起身收拾起东西来。

　　黑龙氏对伏羲说道："爹爹，你何时再来呀？"

　　伏羲笑道："有空的时候我会来的。"

　　黑龙氏："那你可要常来呀！"

　　宓妃接口说道："成纪这么美，不让我来我都要来。"

　　黑龙氏："哥哥欢迎你常来。"

　　宓妃收拾好了东西，"爹，东西收拾好了。"

　　伏羲："好，那我们就走吧。"说着，起身出门。

　　三人走出门外。

　　伏羲打了一声呼哨，麒麟和凤凰从林中飞来，落在三人面前。

　　伏羲和宓妃跨上麒麟和凤凰。

　　黑龙氏依依不舍地说："爹爹，一路上多保重啊！"

　　伏羲："赤儿，爹走了，你要管好你的部落啊！"

　　黑龙氏眼中噙泪，"爹爹，我记住了！"

　　宓妃："哥哥，再见了！"

　　黑龙氏叮嘱道："妹妹，照顾好爹爹！"

　　宓妃眼里含着惜别的泪水，使劲点了点头。

　　麒麟和凤凰腾空而起。

　　黑龙氏朝伏羲和宓妃不停地挥着手。

　　宓妃也朝他挥着手，大声喊着："哥哥，再见，再见了！"

　　麒麟和凤凰驮着伏羲和宓妃在成纪上空盘旋了几圈，突然振翅朝宛丘方向疾飞而去……

　　宛丘湖畔。茅屋前。

　　麒麟和凤凰驮着伏羲和宓妃从远处飞来，降落在茅屋前。

　　在湖边捕鱼的人们看见伏羲和宓妃回来，高兴得大叫着，奔跑过来，围着伏羲和宓妃问长问短。

　　伏羲笑着问道："孩子们，你们都好吧？"

　　众人："都好！"

　　黄龙氏闻讯，也从远处奔跑过来，兴奋地大叫着："爹爹，你们可回来了！"

　　伏羲对黄龙氏问道："家里还好吧？"

　　黄龙氏看着伏羲，说道："都还好！爹爹，你怎么瘦了这么多？"

　　宓妃接着说道："爹爹成天跋山涉水，到处奔波，能不瘦吗？"

　　黄龙氏："爹爹不是到成纪去看看的吗？怎么会累成这样？"

　　宓妃："爹爹在成纪发明了八卦！"

　　黄龙氏："八卦？什么八卦？"

　　伏羲："等有空我再跟你说吧。"接着，他对众人说道："孩子们，大家都去干活吧！"

　　黄龙氏："爹爹，你也累了，快回屋歇息歇息吧。"

　　伏羲点点头。

　　众人纷纷散去。

　　宓妃和黄龙氏扶着伏羲走进茅屋。

伏羲坐在石凳上。

黄龙氏赶忙给爹爹倒了一碗水，"爹爹，这一路辛苦了，快喝点水吧！"

伏羲接过，一饮而尽。

宓妃忙着收拾茅屋。

黄龙氏问道："爹爹，你发明了什么八卦？"

伏羲从怀中拿出一张八卦图，铺在石桌上，对黄龙氏说道："这就是八卦图。"

黄龙氏伸长脖子看着，左看右看看不懂，"爹爹，你画的不都是一些圆圈和杠杠吗？"

伏羲笑道："孩子，这你就不懂了。这些圈圈、杠杠，可大有说法呢！"

黄龙氏迫不及待地说："爹爹，你快说给我听听。"

宓妃："哥哥，爹累了，你就让爹爹歇息会儿吧，以后有的是时间说给你听的。"

黄龙氏不好意思地说："对、对，爹爹，你先歇息吧，日后再教我也不迟。"

伏羲："黄儿，你既然想听，我就说给你听吧！"

黄龙氏急忙端来一条石凳，坐在伏羲旁边。

伏羲指着八卦图说道："这八卦蕴含着天地万物的规律，了解了它，就能预测一些过去和以后的事情，给我们的子孙万代造福。"

黄龙氏惊奇地问道："爹爹，有这么神奇？"

伏羲："那是当然。"

宓妃插话道："哥哥要是不信的话，爹爹还可以推算出明日是天晴还是下雨呢！"

黄龙氏高兴地问："真的？"

伏羲："这只是一点皮毛的东西，还有更深奥的东西呢。"

黄龙氏："爹爹这次去成纪，收获可真大啊！"

伏羲："幸亏这次去了成纪，不然的话，我还发明不了八卦。"

黄龙氏："难道去成纪就能发明八卦，在宛丘就不能发明吗？"

宓妃走过来，神秘兮兮地说道："哥哥，你这就不懂了。爹爹这次在那高山上，发现对面的山腰冲出了一只金光闪闪的龙马，龙马身上全是图案，爹爹这才悟到了八卦！"

黄龙氏："爹爹，果真有这回事情？"

伏羲笑着点头，"你妹妹说的一点不差。要是不去成纪，我怎能见到龙马？这也许是故乡给我的特别的恩赐！"

黄龙氏："爹爹，你可要将这八卦赶紧教给我啊！"

宓妃："哥哥，你还没有完全了解八卦的用途呢，就急着要学，你知道它都有哪些用途吗？"

黄龙氏挠着头，不好意思地笑了，"我只知道有用，就想学。"

伏羲："黄儿，你这样好学，爹非常高兴，这八卦可推算出二十四节气，并算出一年四季天气冷暖变化的规律。"

黄龙氏问道："这些算出来有何用途？"

伏羲："将这些算出来之后，就能掌握五谷什么时候栽种，什么时候收割；果树什么时候结果，什么时候落叶；花儿什么时候开，什么时候谢……"

黄龙氏："这八卦有这么多妙用，真是太好了！"

伏羲："有些东西我还没有全部悟透，我还要不停地去参悟它。"

黄龙氏钦佩地说："爹爹，你怎么会想到这么多呢？"

伏羲笑道：“天下如此之大，儿孙如此之多，不多想些东西造福人类，怎么行呢？”

黄龙氏：“爹爹，我今后真的要好好地跟你学，你可要多多教我！”

伏羲点了点头，“你只要肯学，我会将所有参悟到的东西全都告诉你。”

黄龙氏高兴地说：“爹爹，太好了！”

宓妃：“你们都别顾着说话了，吃点东西吧，肚子都饿了。”

黄龙氏急忙说道：“你们等着，我去给你们弄些好吃的来！”说着，高兴地朝门外跑去。

第二天一大早。

伏羲早早起来，他怀揣着八卦图，朝旁边高高的山上走去。

他爬上高山，盘腿坐在一个高坡上，微闭着双目，双手放在丹田，静静地入定。

他的眼前幻化出金光闪闪的龙马，美丽的图案光彩夺目。他细细地参悟着，思索着。每一个图案都幻化出美丽的景物。

他的眼前又出现了春夏秋冬，炎炎的烈日，飘飞的大雪，累累的果实，万物复苏，百花争艳的各种景象……

伏羲盘腿坐在石头上。良久才睁开眼睛。他拿着树枝在地上不停地画着、写着，对照着八卦图，脸上露出欣慰的笑容。

他每日都这样忙碌着，翻山越岭，跋山涉水，仔细地观察着一草一木，山川河流，日月星辰的变化……

伏羲明显地苍老了，消瘦了，八卦让他费尽了心血。

这一日。

伏羲像往常一样，又怀揣着八卦图，登上了另一座高山。

天空烈日炎炎，汗水湿透了他的衣背。

伏羲仍不停地画着、写着……

从早晨到下午，他忘记了时间，仍然在山上苦思冥想着。

突然，伏羲感到一阵头晕目眩，眼前金光四射，他用双手捂住头，摇摇晃晃地站了起来，猛地一头栽倒在地，不省人事……

天渐渐黑了。

伏羲仍一动不动地躺在地上，没有知觉。

河边。林中。黄龙氏和宓妃率众人在四处寻找着伏羲，着急地呼唤着："爹爹、爹爹——""爷爷、爷爷——"

黄龙氏着急地问宓妃："爹爹经常出去，都去哪些地方？"

宓妃："他去的地方没有固定，到处乱走，在这山顶上的时日多些。"

黄龙氏："那我们赶快到山上去看看！"

宓妃："好！我们赶快上去吧！"

黄龙氏、宓妃率众人朝山上奔去。

众人来到山上，四处搜寻着。

宓妃突然看见伏羲倒在高坡上，大声哭着奔了过去："爹爹——"

黄龙氏等人也发现了伏羲，纷纷跑了过去。

宓妃扑在伏羲面前，摇晃着伏羲，大声呼唤着："爹爹、爹爹，你怎么了？"

黄龙氏也急忙蹲下来，扶着伏羲，悲声叫着："爹爹，你醒醒，你醒醒啊！"

众人哭喊着，叫着："爷爷、爷爷——"

伏羲形容憔悴，面色苍白，仍然紧闭双眼，一动不动地躺着。

黄龙氏对众人大声唤道："来，将爷爷扶到我背上！"

几个小伙子急忙上前，"爹，让我们来吧！"

黄龙氏怒道："别啰嗦，快将爷爷扶到我背上！"

众人急忙蹲下身去，将伏羲轻轻抬起。

黄龙氏弯下腰，背着伏羲，朝山下走去。

宓妃紧紧跟着，边流泪，边走在哥哥身旁，扶着伏羲走下山去。

茅屋内。

黄龙氏背着伏羲，急急走进茅屋，将他轻轻放在石床上。

众人挤满了茅屋，担心地看着伏羲，默默地流泪。

宓妃急忙端来一碗水，小心翼翼地喂给伏羲。

水从伏羲的嘴角溢出。

伏羲仍然昏迷不醒。

黄龙氏急得团团转，对众人说道："你们都先回去吧，这里有我呢！"

众人心情沉重地默默离去。

宓妃在一旁，急得不停地抹眼泪，担忧地对黄龙氏说道："哥哥，爹爹这是怎么了，不会有事吧？"

黄龙氏长叹一声："爹爹昏迷不醒，我很担心哪！"

宓妃："爹爹不是教了我们一些草药吗？能不能试试？"

黄龙氏："这种病症还从没出现过，我也不知道用什么草药。"

宓妃："那可怎么办哪？"

黄龙氏："我看爹爹这次病得很厉害，从山上背下来到现在都昏迷不醒，他这是劳累过度了。"

宓妃："哥哥，看到爹爹病成这样，我就想起了娘，娘就是这样劳累过度才走的，我们不能再等了，还是去请药仙吧！"

黄龙氏着急地在屋里踱起步来。

宓妃："哥哥，你快说啊，到底怎么办嘛！"

黄龙氏停住脚步，果断地说："那就依妹妹说的，去请药仙！"

宓妃："哥哥，我去请药仙吧。"

黄龙氏："不，还是我去，你在家里照看爹爹吧！"

宓妃点了点头，"那好吧。"

黄龙氏："妹妹，你好好照顾爹爹，我走了！"

宓妃："哥，一路上小心啊！早点回来！"

黄龙氏答应着，大步走出门外。

麒麟在门口着急地走来走去。

黄龙氏跨上麒麟，说道："麒麟，你带我去昆仑山见药仙！"

麒麟点点头，腾空而起，朝昆仑山方向飞去。

昆仑山。

药仙在洞口拾捡着草药，琉璃兽在远处的树林寻觅着食物。

黄龙氏乘着麒麟，飞快地来到昆仑山，降落在药仙面前。

药仙惊愕地抬起头，"黄龙氏，你怎么来了？"

黄龙氏跪倒在地，哀求道："药仙爷爷，请你救救我爹！"

药仙吃惊地问："你爹他怎么了？"

黄龙氏："我爹爹劳累过度，昏倒在山上，一直昏迷不醒。"

药仙听了，点了点头，"孩子，你快起来吧！"

黄龙氏站了起来。

药仙："你爹爹为了天下人，可是操了不少心哪！"

黄龙氏流泪道："药仙爷爷，请你跟我一块去看看我爹

吧！"

药仙："好吧，等我收拾一下。"说着，收拾起洞口的草药。

药仙朝远处的琉璃兽打了一声呼哨。

琉璃兽飞快地奔了过来。

药仙拍拍它的头，"你和我去一趟宛丘！"

琉璃兽点了点头。药仙跨上琉璃兽。

黄龙氏也急忙跨上麒麟。

两人朝宛丘方向疾飞而去。

宛丘湖畔茅屋内。

伏羲紧闭着双眼，躺在石床上，仍然昏迷不醒。

宓妃忧心忡忡地坐在一旁，不时看看身边的父亲，悄悄抹着眼泪。

黄龙氏带着药仙急匆匆走了进来。

宓妃急忙站起身来。

黄龙氏急问道："妹妹，爹爹怎么样了？"

宓妃摇了摇头，"爹爹还是一直昏迷不醒！"

药仙走到伏羲跟前，用手探了探他的鼻息，又查看了一下他的眼睛，然后坐在旁边给伏羲诊脉。

宓妃和黄龙氏在一旁紧张地看着。

药仙把完脉，站起身来，叹了一口气，朝门外走去。

宓妃和黄龙氏急忙跟了出来。

黄龙氏急问："药仙爷爷，我爹爹他怎么样了？"

宓妃："药仙爷爷，我爹不会有事吧？"

药仙沉重地说道："你爹这是积劳成疾，已累及肾脏，因肾脏衰竭而引起的昏迷。"

宓妃："这要不要紧哪？"

药仙："这病很难医治。"

黄龙氏哀求道："药仙爷爷，我求求你了，给我爹将这病治好吧！"

药仙："我也无能为力啊！"

宓妃痛哭失声："这可怎么办哪？"

黄龙氏："药仙爷爷，这世上只有你治病最好，你一定要想办法给我爹把这病治好，你要我们做什么我都会答应你的！"

药仙："不是我不给你爹治这病，只是我确实无能为力呀！"

黄龙氏和宓妃"扑通"一声跪倒在药仙面前，声泪俱下。

黄龙氏："药仙爷爷，求求你了，救救我爹吧！"

宓妃："药仙爷爷，我不能没有我爹爹呀，你一定要救救他啊！"

药仙扶起两人，"你们都起来吧，我这里有一颗灵丹，能保你爹一些时日，但是，不能维持长久。"说着，招手将琉璃兽叫了过来，对琉璃兽说道："琉璃兽，你将灵丹拿给我！"

琉璃兽摇了摇尾巴，四肢通体发亮，一颗红色的药丸被琉璃兽从腹中送至其口中。

药仙伸出手，琉璃兽将药丸吐出。

药仙接过药丸，对黄龙氏说道："这颗药丸极为珍贵，很难炼制，不到万不得已，不要给你爹爹服用！"说着，递给黄龙氏。

黄龙氏小心地接过，"药仙爷爷，我记住了！"

药仙又对宓妃说道："我这儿还有一点药，我走之后，给你爹服下，暂时不会有事的。"说着，从怀里又掏出几颗黑色的小药丸，递给宓妃。

宓妃接过，感激地说："药仙爷爷，谢谢你了！"

黄龙氏悲痛地说："药仙爷爷，我爹真的不能好了吗？只能靠这药丹维持了吗？"

药仙想了想，"也不是没有办法。"

黄龙氏和宓妃一听，惊喜地急忙问道："什么办法？"

药仙："不过，这很难办。"

黄龙氏急不可耐地说："再难我也不怕！"

宓妃："药仙爷爷，你快说吧！"

药仙："你爹这病，必须要还魂草才能治好。而这还魂草，天下只有一株。"

黄龙氏急问："这还魂草在何处？"

药仙："这还魂草它不长在地上，而是长在河底。"

宓妃："长在哪条河底？"

药仙："这还魂草长在洛河水底，只要将它获取，让你爹服下，即刻便好。"

宓妃高兴地说："药仙爷爷，你怎么不早说呢？"

药仙苦笑道："孩子，你有所不知，这还魂草原先长在天山之巅，后被一个叫河伯的妖怪知道后掠去了，妖怪将它种在洛河水底，独霸着。"

黄龙氏："我这有驱妖镜，不怕它！"

药仙："你的驱妖镜无用，它在河底不出来，你是奈何不了它的。何况，它变化多端，功力了得，很少有人能斗得过它！"

宓妃着急地问："那可怎么办呢？"

药仙："这妖怪凶恶残忍，要想得到那株还魂草，几乎不可能！"说着，摇了摇头。

宓妃："如果不行，我们就去偷！"

药仙："只怕你偷不到，反而丢了性命！"

黄龙氏："药仙爷爷，你知道那株还魂草长在什么地方吗？"

药仙："就在那妖怪的后花园。"

黄龙氏："谢谢你了，药仙爷爷，我会想办法弄到这还魂草的！"

药仙："孩子，那你可要小心了，那妖怪可不好惹！"

黄龙氏："多谢药仙爷爷提醒！"

药仙："好了，我也该走了。"说着，他跨上了琉璃兽，腾空而去。

黄龙氏和宓妃目送着药仙远去……

黄龙氏和宓妃心情沉重地朝湖边走去。

黄龙氏："妹妹，爹爹的病这么重，我们一定要想办法弄到那株还魂草。"

宓妃："哥哥，那妖怪这么厉害，你的驱妖镜又派不上用场，我们该怎么办呢？"

黄龙氏："我们只有用偷的办法了！"

宓妃："万一被那妖怪发现怎么办？"

黄龙氏："发现了我就用驱妖镜对付它！"

宓妃："哥哥，这样怕不行，我们要商量一个万全之策才行！"

黄龙氏："什么万全之策？"

宓妃："哥哥，要么我们两人一块去，相互有个照应。万一被妖怪发现，你就到水里引妖怪出来，我在河边用驱妖镜照它！"

黄龙氏为难地说："可是我不会水啊，怎么下到河里去呢？"

宓妃："是啊，这怎么办呢？"

黄龙氏着急地在湖边走来走去，一筹莫展。

宓妃："哥哥，爹爹的病不等人哪，我们还是到洛河边去看看，见机行事吧！"

黄龙氏："好，我们先给爹爹服药，再安排人服侍爹爹，我们就可启程了！"

宓妃："好，走吧！"

两人快步朝茅屋走去。

茅屋内。

伏羲气息奄奄，脸色苍白地躺在石床上，紧闭着双眼。

黄龙氏和宓妃走进茅屋。

宓妃盛了一碗水，拿出一粒黑色的药丸给伏羲服下。

不一会儿，伏羲悠悠转醒。

宓妃惊喜地叫着："爹爹，你醒了！"

黄龙氏也高兴地含着热泪，"爹爹，你终于醒了！"

伏羲吃力地微笑着，轻声道："爹没事！"

黄龙氏："爹爹，你没事就好了，我和妹妹急得不知如何是好！"

宓妃也泪流满面，哭着叫道："爹爹……"

伏羲："孩子，别哭了，爹不是好好的嘛。"

黄龙氏："爹爹，我和妹妹出去给你采点草药，可能要去远一点的地方找，你在家好好养病，我叫人侍候你。"

伏羲："你们别为爹操心了，跑那么远，让爹记挂着。"

宓妃："爹，我们很快就会回来的。"

黄龙氏："爹爹，我现在就去叫人。"说着，头也不回地走了。

伏羲："这孩子，说去就去。"

宓妃："爹爹，你现在感觉好些了吗？"

伏羲点点头，"爹好多了。"

宓妃："你知道吗？这药是药仙爷爷送的。"

伏羲惊喜地说："你们去找他了？"

宓妃："哥哥去把他找来的。他给你看了病，又给了几颗药丸，还叫我们再去采一味药来。"

伏羲："哦，原来是这样，怪不得你们要去采药。"

宓妃："爹，女儿走后，你自己可要多保重啊，还有几颗药丸，难受的时候就服下。"说着，将药丸放在伏羲的床头。

伏羲慈爱地看着女儿，"孩子，难为你们了！"

宓妃从怀中掏出一颗五彩的鹅卵石，流泪说道："爹爹，上次补天时，女儿临走时在河里捡了这颗鹅卵石，一直带在身边。女儿出去的这几日，如果你想念女儿，就看看这鹅卵石，就好似女儿在你身边一样。"说着递给伏羲。

伏羲接过，抚摸着鹅卵石，"孩子，这鹅卵石真好看哪！爹爹也在补天台上拿了一小块补天石。"说着，摸索着从怀里掏了出来。

鹅卵石和补天石的五彩光芒交相辉映，熠熠生辉。

伏羲拿在手上，仔细地看着，眼里噙着泪，他的眼前仿佛又出现了女娲补天那美丽壮观的情景，想着女娲因补天而死，眼中的泪水夺眶而出。

宓妃也不停地掉着眼泪。

这时，黄龙氏带着几个女人走了进来。

黄龙氏："爹，我带了几个人来照顾你。"

几个女人走到伏羲眼前，"爷爷，你好些了吗？"

伏羲擦去泪水，点了点头。

黄龙氏对几个女人说道："你们要好好地服侍爷爷。"

　　几个女人："我们知道了！"

　　黄龙氏对伏羲说道："爹爹，我和妹妹走了，你可要保重啊！"

　　伏羲："孩子，你们骑上麒麟和凤凰快去吧，一路上多加小心，早点回来啊！"

　　宓妃悲伤地说："爹，我们走了！"说着，含泪和黄龙氏走出茅屋。

　　茅屋门口。

　　凤凰和麒麟从林中飞来，落在两人面前。

　　黄龙氏和宓妃跨上坐骑。

　　黄龙氏："带我们到洛河去吧！"

　　凤凰和麒麟点了点头，腾空而起，朝洛河飞去……

第十章

孝女溺水

人皇归天

伏魔济世

开天辟地

洛水河畔。

凤凰和麒麟飞过了一座座高山和河流，终于飞到了洛河上空。

洛河宽阔无边，水天一色，水鸟鸣叫着掠过水面，洛河水波涛汹涌，打着漩涡，向东奔流。

夕阳西下，映照得洛河波光粼粼。

两岸奇峰古洞，瀑布飞泻。

凤凰和麒麟降落在洛河岸边。

黄龙氏和宓妃跃下坐骑，两人望着滚滚的河水，不知如何是好。

宓妃发愁地说：“哥哥，这洛河水这么大，水又这么急，我们怎么下去呀？”

黄龙氏：“妹妹，我们先找个地方歇下来，别让那妖怪发现

220

了我们。"

宓妃点了点头。

两人来到一棵巨大的古树前，坐在树下，商议起来。

黄龙氏："一定要想办法将那妖怪引出来，不然的话，我们无从下手。"

宓妃："哥哥，你那驱妖镜即使将妖怪制服，我们也无法下水找到那株还魂草啊！"

黄龙氏："我一时也想不出什么办法，真急人哪！"说着，烦恼地捶了一下自己的头。

凤凰和麒麟在河边嬉戏着。凤凰朝麒麟啄去，麒麟闪避，在水面上跳跃着。

黄龙氏和宓妃看着凤凰和麒麟在水面上嬉闹。

突然，凤凰又朝麒麟啄去，麒麟急忙窜入水中，河水分开一条水路。

凤凰鸣叫着，扑扇着翅膀，追逐着麒麟。

宓妃和黄龙氏呆呆地看着。

黄龙氏眼睛一亮，"妹妹，有了！你看！"说着，用指着在水中嬉闹的麒麟。

宓妃兴奋地说："对呀，我们怎么就没想到呢！"

黄龙氏："妹妹，你看这样行不行？我骑着麒麟去水底找那还魂草，若能顺利找到，不被那妖怪发现，那是最好。如若被它发现，我就将它引出水面，你拿着驱妖镜在河边守着，只要那妖怪一出来，你就照着它，别让它跑了！"

宓妃："哥哥，就照你说的办吧！"

黄龙氏将驱妖镜从怀里拿出来，递给宓妃，叮嘱道："妹妹，你可要看仔细了！"

宓妃："知道了，哥哥，那妖怪很厉害，你可要小心啊！"

黄龙氏："妹妹，你放心！"说着，快步朝麒麟走去。

麒麟见黄龙氏过来，温驯地伏在地上。

黄龙氏亲昵地拍拍麒麟的头，说道："麒麟啊，请你帮我到河底找到那株还魂草，治我爹爹的病！"

麒麟点了点头。

黄龙氏跨上麒麟。

麒麟站起，快步朝水底走去。

水路自动分开，麒麟驮着黄龙氏直入河底。

凤凰朝宓妃飞去，落在宓妃的面前。

宓妃亲昵抚摸着凤凰美丽的翅膀，说道："凤凰，可惜你不会水，要是像麒麟一样会水多好啊，我就可以和哥哥一块下水，斗那妖怪，取还魂草了！"

凤凰扇了扇翅膀，"咕咕咕"地叫了几声。

宓妃："凤凰，你不要自责，我不会怪你的！"

麒麟驮着黄龙氏分开水路，直入水底。

黄龙氏对麒麟轻轻说道："麒麟，你尽量轻点，别让那妖怪发现了我们。"

麒麟点点头，收起翅膀，轻轻地朝水底走去。只见前面有一座威严的大殿，大红门正上方，挂着一块匾额，三个遒劲的金色大字——水晶宫，非常耀眼。

黄龙氏对麒麟说道："麒麟，我们绕到它的后门去。"

麒麟点头，悄悄地朝后门走去。

水晶宫内。

河伯青面獠牙，高大威猛，样子十分凶恶。

河伯正坐在宝座上，左搂右抱着美女，乐滋滋地欣赏着虾女翩翩起舞。

美女朝河伯嘴里喂着水酒，塞着佳肴，河伯高兴得哈哈大笑。

后花园外，黄龙氏跃下麒麟，在后门朝里望去。

只见一株红艳艳的还魂草被几个凶恶的水怪把守着。

突然，一个水怪大声说道："后门有人！我闻到人的气味！"

领头的水怪："你们两个，看着这里，其他的跟我出去看看！"说着，快步走向后门。

黄龙氏急忙跨上麒麟，朝一旁躲去。

几个水怪打开后门，朝四处搜寻而去。

黄龙氏悄悄对麒麟说道："赶快进去！"

麒麟敏捷地驮着黄龙氏钻进后门。

两个水怪发现了黄龙氏，大叫一声："你是谁？"说着，拿着兵器冲了过来。

黄龙氏见两个水怪凶恶地扑来，急忙对麒麟说道："快，咬死它们，我去取草！"说着，跳下麒麟，朝还魂草奔去。

麒麟猛地朝两个水怪扑去。

两个水怪拿着兵器，朝麒麟刺来。

麒麟怒吼一声，扇起翅膀，将两个水怪扫翻在地，朝它们的咽喉咬去。

两个水怪惨叫一声，顿时毙命。

惨叫声惊动了其他水怪。

领头的水怪追出去很远，突然听到后花园传来惨叫声，大叫

一声："不好！"急忙返身，朝后花园追去，几个水怪紧跟其后。

还魂草鲜艳夺目，发出璀璨的光芒。黄龙氏疾步来到还魂草旁，正欲伸手拔出。

一道疾风掠过，把黄龙氏吹向一旁，他被吹得晕头转向。

河伯凶恶地走进后花园，大声喝问："是谁在这里偷我宝物？"

黄龙氏定了定神，冷冷地看着河伯。

几个水怪也追了回来。

麒麟靠近黄龙氏身边，用翅膀碰了碰他。

黄龙氏会意。

河伯气势汹汹地走了过来，"你是何方盗贼，快快报出名来！"

黄龙氏："谁是盗贼？我行不更名，坐不改姓，我是黄龙氏！"

河伯冷笑道："嘿嘿，无名小卒，竟敢来找死！"

黄龙氏："河伯，请你将还魂草给我，我黄龙氏感激不尽！"

河伯凶恶地说："你也想要还魂草，除非你拿命来！"

黄龙氏："只要你肯给还魂草，我可以给你这条命！"

河伯惊愕地说："你竟敢说这话！你要还魂草有何用？"

黄龙氏："我爹爹病重，需要还魂草！"

河伯："你倒是个孝子啊，你爹爹是谁呀？"

黄龙氏："我爹爹是伏羲！"

河伯："伏羲！就是那雷神的儿子？"

黄龙氏："正是！"

　　河伯哈哈大笑："想不到冤家路窄啊，今日又碰上了仇人的孙子！"

　　黄龙氏吃惊地看着河伯，眼珠转了一下，想了想，看来今日取还魂草是很难了，必须将妖怪引上河面，再制服它！想到这里，他对河伯大声说道："妖怪，你想怎么样？"

　　河伯凶恶地说："哼哼，还魂草你非但拿不走，我还要将你给杀了！"

　　黄龙氏："谁杀谁还不一定呢！"说着，跨上麒麟。

　　河伯挥手朝黄龙氏击去一掌，一股黑风席卷而来。

　　麒麟猛地驮起黄龙氏，避开河伯致命的一掌。

　　麒麟用尾巴朝河伯扫去。

　　河伯大吃一惊，闪身躲过。

　　众水妖齐声呐喊，举着兵器，朝麒麟扑来。

　　麒麟驮着黄龙氏扑向那株还魂草，想强行拿去。

　　河伯怒吼一声，利出利爪，朝黄龙氏扑去。

　　黄龙氏还未触及还魂草，见河伯的利爪抓来，急忙将手缩回。

　　河伯反手抓来，黄龙氏见取不了还魂草，急忙对麒麟说道："快走！"

　　麒麟腾空而起，分开水路，直朝河面奔去。

　　河伯紧紧追来。

　　麒麟驮着黄龙氏飞奔上岸。

　　河伯跃上水面，大喝一声："往哪跑！"说着，伸着两只长长的利爪，疯狂地朝黄龙氏扑去。

　　黄龙氏大叫："妹妹，快照它！"

　　宓妃忽见妖怪蹿出水面，狰狞可怖，急忙举起驱妖镜，朝妖

怪照去。

河伯身手了得，见一道奇怪的光束照来，飞速腾空而起。

宓妃见手中的驱妖镜没有照中河伯，看它蹿入空中，又急忙朝空中照去。

驱妖镜又射出的一束金色的光芒，直射河伯。

河伯大惊失色，一阵旋风似的卷到岸边。

宓妃又没照中，急得满头大汗。

黄龙氏在岸边大叫："妹妹，快对准这妖怪！"

宓妃急忙举起驱妖镜，又朝岸边的妖怪照去。

河伯凶恶地腾空而起，忽然急转而下，张开利爪，朝岸边的黄龙氏抓去。

黄龙氏猝不及防，被河伯从麒麟身上抓往空中。

黄龙氏惊得"啊"地大叫一声。

宓妃见哥哥被抓，急得喊道："哥哥——"拿着驱妖镜又朝妖怪乱照。

河伯在空中躲闪着驱妖镜，想钻入河底，他飞身而下，麒麟和凤凰急速飞来，朝河伯扑去。

河伯见麒麟和凤凰来势凶猛，堵住了去路，急忙又蹿上高空。

黄龙氏在空中狠狠地咬住了河伯的利爪。

河伯痛得大叫一声，手一松，黄龙氏直朝河中掉去。

宓妃大叫一声："哥哥——"

麒麟朝水面疾飞过去，接住黄龙氏，飞往岸边。

宓妃急忙拿着驱妖镜朝空中的河伯照去。

河伯老羞成怒，在空中盘旋几圈，躲过驱妖镜的照射，化作一股黑风，朝宓妃猛扑过来。

宓妃惊恐地看着从天而降的妖怪，惊呆了。驱妖镜"当"的一声，掉在了地上。

妖怪狰狞而凶恶地直向宓妃扑来⋯⋯

黄龙氏在岸边惊得大叫一声："妹妹，小心！"朝宓妃飞奔过来。

凤凰猛地扑了上去，飞快地挡在宓妃面前，朝妖怪的眼睛啄去。

妖怪猝不及防，左眼被啄中，鲜血直流，它惨叫一声，转而朝凤凰扑去。

黄龙氏奔到宓妃跟前，急忙捡起地上的驱妖镜，朝妖怪照去。

妖怪被驱妖镜照中，惨叫着化作一股黑风，直朝河底钻去⋯⋯

宓妃见妖怪被赶跑，高兴地拍手大叫起来："太好了，妖怪被吓跑了！"

黄龙氏："妹妹，你别这么高兴，那还魂草还没有拿到呢！"

宓妃急忙问道："哥哥，你刚才下去河底，见到那还魂草了吗？"

黄龙氏点了点头，"见是见到了，那妖怪防备甚严，要不是麒麟，我差点被它们抓住了。"

宓妃："那妖怪如今知道我们为还魂草而来，肯定防备更严，我们可怎么下手啊？"

黄龙氏："是啊，真不知该如何才好！"

宓妃："哥哥，要不让我下去看看！"

黄龙氏连连摇头，"连哥哥都斗不过它们，你去更不行！"

宓妃："那总不能在这干着急吧！"

黄龙氏："妹妹，你在岸上等着，我再下去一趟，非要把这还魂草弄来不可！"

宓妃担心地说："哥哥，你可要小心哪，这妖怪真是很厉害，连驱妖镜都不能置它于死地，让它给逃了！"

黄龙氏叮嘱道："这次妖怪若是蹿上水面，你要用驱妖镜定定地照住它，万万不可乱照，否则，那妖怪逃窜，反过来还会伤到你！"

宓妃点头，"哥哥，我知道了，刚才我见它那么凶恶，心里有些胆怯，所以才屡屡没有照中。"

黄龙氏："那好，哥哥去了，你也要多加小心哪！"说着，跨上麒麟，又朝河底奔去。

水晶宫内。

河伯捂着受伤的左眼，暴跳如雷地在宫内走来走去："没想到，竟被那该死的凤凰给啄伤了！"

水怪头领："大王，我看他们还会再来，是不是将那还魂草换个地方？"

妖怪恶狠狠地说："不用换地方，他们那点本事，还想盗我的还魂草。哼，我要置他们于死地！"

水怪头领："大王，我知道了！"

妖怪："你多派些手下守住后花园，别让他们将还魂草偷走了，若发现他们来了，立即向我通报！"

水怪头领："是！"领命而去。

妖怪咬牙切齿地说："哼，想得到还魂草，做梦去吧！"

水底。

麒麟驮着黄龙氏悄悄来到后花园。

只见后花园把守森严，一队队水怪不停地在后花园巡逻着。

黄龙氏对麒麟说道："我去引开它们，你跳进墙去，将那还魂草偷来！"

麒麟点点头。

黄龙氏跳下麒麟。

麒麟飞身而起，在后花园内轻轻落下。

几个水怪警惕地朝前望着，没有察觉身后的麒麟落进园内。

黄龙氏捡起一根木棍，朝后花园门口走去。

巡逻的水怪突然发现了黄龙氏，大声叫道："盗贼又来了！盗贼又来了！"说着，朝黄龙氏追来。

黄龙氏见它们中计，掉头就跑。

水怪头领大叫："哪里跑！"说着，率领一群水怪朝黄龙氏追去。

后花园内，留下的两个水怪警惕地守护着还魂草。

麒麟突然飞落在它们面前，朝两个水怪猛扑过去，不等水怪反应过来，麒麟就将它们的咽喉咬断了。

两个水怪闷哼着，倒地而亡。

麒麟张开嘴，将还魂草拔起，衔在口中，朝黄龙氏追去。

水怪头领率领众小妖直朝黄龙氏扑来，眼看就要将他抓住。

麒麟衔着还魂草飞奔过来，落在黄龙氏面前。

黄龙氏急忙飞身跨上麒麟。

麒麟欲腾空而起，被追上来的几个水怪拖住尾巴。

麒麟猛地往上一蹿，尾巴从水怪的利爪中挣脱而出，几个水

怪被摔出老远。

又有一些水怪追了上来，麒麟一甩尾巴，将追上来的水怪扫倒在地，然后欲朝水面飞去。

河伯飞奔而来，凶神恶煞般地拿着铁棒，挡在麒麟的面前，怒喝道："哪里跑！"说着，挥起铁棒，就朝黄龙氏打去。

麒麟驮着黄龙氏闪身躲过。

河伯见一棒打空，又抡起铁棒，疯狂地打来。

麒麟左闪右避，黄龙氏坐不稳，从麒麟上摔了下来。

众水怪一拥而上，朝黄龙氏围了过来。

黄龙氏迅速爬起，挥起手中的棍棒和水怪们搏斗。

黄龙氏渐渐寡不敌众，水怪头领猛地伸出利爪，黄龙氏被它们抓住。

河伯和麒麟斗在一起，难分难解，渐渐地，麒麟也体力透支。

河伯猛地吹出一股黑气，麒麟急忙闪避。

河伯猛地一跃，伸出利爪，朝麒麟口中衔着的还魂草抓去。

麒麟一转身，用尾巴朝河伯扫去。

河伯迅速地躲开，又反扑过来，抢起铁棒，不停地旋转起来，朝麒麟逼近。

麒麟不敢恋战，步步后退，它瞥见黄龙氏被水怪抓住，心下一急，被河伯的铁棒击中头部。

麒麟痛得"嗷"地叫了一声，口中衔着的还魂草掉落在地。

河伯又抡起铁棒，朝麒麟打去。

麒麟急中生智，将尾巴朝地上一扫，还魂草朝远处飞去，它自己接连几个翻滚，避过河伯凶狠的杀招，临空而起，用口衔住了还魂草。

　　麒麟朝被围困的黄龙氏扑去，众水怪见麒麟凶狠地扑来，急忙松开黄龙氏，仓皇应战。

　　麒麟用尾巴狂扫，众水怪被扫中，摔出丈远，痛得"嗷嗷"大叫。

　　黄龙氏见麒麟落在自己面前，急忙一跃而上。

　　河伯飞扑过来，大声吼道："大胆盗贼，哪里跑？快拿命来！"说着，朝麒麟和黄龙氏挥棒冲了过去。

　　麒麟深知河伯的厉害，急忙闪身躲过，不敢恋战，驮着黄龙氏朝水面蹿去。

　　河伯飞起直追，众水怪呐喊着紧随其后。

　　麒麟驮着黄龙氏飞快地蹿出水面，朝岸边的宓妃飞去。

　　宓妃正焦急地盯着水面，见麒麟衔着还魂草，驮着哥哥蹿出水面，直奔自己而来，高兴地大叫："真是太好了！弄到还魂草了！"

　　麒麟飞落在宓妃面前，黄龙氏跳下麒麟，从麒麟口中取下还魂草，递给宓妃，"妹妹，快拿好，妖怪追来了！我去对付它们！"

　　宓妃急忙接住还魂草，紧紧地攥在手里。

　　河伯率领水怪飞快地追出水面，旋风般地朝黄龙氏他们扑来。

　　黄龙氏大叫："妹妹，快给我驱妖镜！"

　　宓妃急忙将驱妖镜递给哥哥。

　　黄龙氏对着河伯照去。

　　一道金光直射河伯。

　　河伯见金光射来，猛地蹿上高空。

　　一群水怪蜂拥着冲上岸来。

麒麟和凤凰与众水怪在岸边激烈地拼斗起来。

河伯在空中飞快地闪避着黄龙氏射来的光束。河伯深知这驱妖镜光束的厉害，如若被它久久射中，自己必死无疑。

宓妃站在岸边，紧紧地捧着还魂草，紧张地看着哥哥与河伯搏斗。

她见河伯狼狈地在空中躲来躲去，不由高兴得大笑起来。

她对哥哥大声说道："哥哥，使劲照它！照死它！"

黄龙氏头也不回地大声对宓妃说道："妹妹，拿好还魂草！"

宓妃高兴地说道："哥哥，我知道了！"

河伯孤注一掷，又猛扑过来。

黄龙氏见机会来了，急忙朝河伯照去。

河伯狡诈地突然升空，在黄龙氏头上飞快地盘旋着，形成一圈圈黑风。

黄龙氏眼花缭乱，用手中的驱妖镜朝黑风照去。

河伯瞅准机会，猛地蹿到宓妃的面前，伸出利爪，去抢宓妃手中的还魂草。

宓妃早有防备，将还魂草紧紧抱着，朝河边的林中跑去。

河伯一抓未着，大怒，飞起直追。

黄龙氏见妹妹危急，急忙用驱妖镜朝妖怪射去。

河伯利爪被照，痛得大叫一声，缩回利爪，钻进林中。

宓妃见妖怪钻入林中，又急忙朝哥哥跑来。

河伯岂肯善罢甘休，化作一股黑风，猛地盘旋一圈，将宓妃卷起。

宓妃大叫一声："哥哥，救我！"

黄龙氏拿着驱妖镜，朝黑风照去。

河边的凤凰和麒麟与众水怪激战正酣。

凤凰见宓妃被抓，尖厉地鸣叫了一声，凌空而起，朝黑风飞去。

凤凰欲夺下宓妃，与河伯在空中激烈地搏斗起来。

河伯凶恶地一手挟持着宓妃，一手与凤凰搏斗着。

空中被斗得乌云翻滚，天昏地暗。

几十个水怪围住麒麟，凶恶地拼斗着。

麒麟也朝水怪左扑右咬。

众水怪也不示弱，拿着兵器，朝麒麟疯狂地乱打乱刺。

麒麟被水怪的利刃刺中，多处负伤，仍全力拼斗着，难以脱身。

宓妃在空中不停地叫着："哥哥，救我！"

黄龙氏见妹妹危在旦夕，急忙对准河伯的头直直照去。

河伯被驱妖镜照中，眼冒金星，痛得大叫一声，松开了宓妃。

宓妃"啊"地惨叫一声，朝水中掉去。

凤凰俯冲直下，欲救宓妃。

河伯见状，忍痛飞身扑上，拦住凤凰，与凤凰打斗起来。

河伯咬牙切齿地说道："我得不到还魂草，你们也休想得到！"

宓妃掉进波涛汹涌的洛河，手里紧紧地握着还魂草，在水中拼命挣扎着，凄惨地叫着："哥哥、哥哥——"

黄龙氏急得在岸边大叫："妹妹、妹妹——"

洛水翻滚着汹涌的波涛，卷起一个个漩涡。

一个巨浪袭来，宓妃被漩涡卷了进去，汹涌的河水将宓妃吞没了。

黄龙氏惊呆了，撕心裂肺地喊了一声："妹妹——"

还魂草在漩涡中不停地旋转着，旋转着……

突然，还魂草沉入水中，不见了。

凤凰和河伯在空中激烈地拼斗着，突然见宓妃掉入河中，被河水淹没。

凤凰凄厉地鸣叫了一声，猛地朝河中扑去。

麒麟挣脱水怪的纠缠，奋不顾身地朝水面飞扑过去。

凤凰和麒麟扑扇着翅膀，凄惨地鸣叫着，眼中噙满了泪水。

河伯在空中哈哈大笑。

麒麟和凤凰突然腾空而起，凶狠地直朝河伯扑去。

麒麟张口就咬河伯。

凤凰猛啄向河伯的右眼。

河伯躲闪不及，被凤凰啄出眼珠，鲜血直流。

河伯惨叫着，与凤凰和麒麟搏斗起来。

凤凰像疯了一样，又朝它的左眼使劲地啄去，将河伯的左眼珠给啄了出来。

河伯惨叫着，捂着被啄瞎的双眼，在空中乱舞乱叫。

凤凰和麒麟咬住它不放。

黄龙氏呆呆地看着奔腾的河水，泪流满面，悲痛欲绝地大声喊道："妹妹，哥哥对不起你啊！"

奔腾的河水咆哮着滚滚向前。

黄龙氏怒火满腔，他朝空中望去，只见那妖怪被麒麟和凤凰斗得遍体鳞伤，四处逃窜。

他大吼一声，举起驱妖镜，直直地射向空中的妖怪。

河伯被驱妖镜照中，惨叫连连，重重地掉在岸边。

黄龙氏愤怒地举着驱妖镜，对着妖怪狠狠地照着。束束金光

像针刺一样，扎得妖怪在地上打滚。慢慢地，河伯僵直不动了。

那群水妖见大王死去，纷纷欲朝水底逃去。

黄龙氏拿着驱妖镜又照住了它们，水怪们惨叫着被河水冲走了。

黄龙氏手中的驱妖镜掉在地上，他跟跟跄跄地跪倒在河边，痛哭失声。

麒麟和凤凰在波涛上盘旋着，哀鸣着，久久不肯离去。

（后人敬仰的洛河女神，就是宓妃。）

宛丘湖畔。茅屋内。

伏羲躺上石床上正做着噩梦，突然大叫一声："宓妃——"惊醒过来，头上冷汗涔涔。

几个在一旁服侍的孙女急忙唤道："爷爷，你这是怎么了？"说着，给伏羲擦去额头的汗水。

伏羲回想着刚才的噩梦，担心地说道："我刚才梦见宓妃了，见她哭叫着朝我奔来，她不会有什么事吧？"

孙女甲安慰道："爷爷，宓妃姐姐不会有事的，你别担心了！"

伏羲："黄儿和宓妃怎么还不回来？"

孙女乙："爷爷，我看他们也该回来了！"

伏羲："你们扶我起来，让我到门口去看看。"

几个孙女急忙将伏羲从石床上扶起来，朝门口慢慢走去。

一个孙女急忙端来一条石凳，放在门口。

伏羲坐了下来，焦虑地抬头望着天空。

突然，遥远的天空，凤凰和麒麟朝这边飞来。

伏羲急忙站了起来，高兴地说："黄儿和宓妃回来了！"

几个孙女也在旁边朝空中看着，"爷爷，这下你可放心了吧！"

伏羲不由得笑了起来。

空中。

麒麟驮着黄龙氏朝前飞着。

凤凰神情黯然地飞在后面。

渐渐地到了宛丘湖畔。

伏羲抬头看着，脸上的笑容渐渐消失了。

麒麟和凤凰飞落在伏羲面前，眼中含着泪。

黄龙氏神情悲痛地跳下麒麟，呆呆地看着伏羲，眼中噙着泪。

伏羲站起来，急问："你妹妹呢？"

黄龙氏突然"扑通"一声跪倒在伏羲面前，悲声叫道："爹爹，妹妹她……"

伏羲急切地问："你妹妹怎么了？"

黄龙氏泪流满面，哽咽着说道："妹妹她……她被妖怪……害死了！"

伏羲听后，悲痛欲绝地大叫一声："宓妃——"摇晃着朝后倒去。

黄龙氏惊叫一声："爹——"急忙扶住伏羲。

几个孙女也大叫着扶住伏羲。

人们急忙将伏羲抬进茅屋，将他抬到石床上躺下。

伏羲紧闭着双眼，昏了过去，两颗泪珠从眼角滚落。

黄龙氏伏在伏羲的石床前，痛哭着。

几个孙女也在一旁轻轻啜泣着。

　　一个孙女拿出一粒药丸，端着水，流泪给伏羲服下。

　　过了一会儿，伏羲慢慢睁开眼睛，他失神地望着茅屋顶，任凭泪水滚落……

　　宛丘湖畔。夜晚。

　　一弯月牙在云海中穿行，微风轻轻吹拂，湖水泛起阵阵涟漪。

　　伏羲神情憔悴，一个人坐在湖边，从怀里掏出一只埙，放在嘴边轻轻吹了起来。

　　埙的旋律忧郁而悲伤。

　　他吹着吹着，眼前幻化出宓妃甜甜的笑容和银铃般的笑声……

　　他的耳畔响起女儿临别前关切的话语："爹，女儿走后，你自己可要多保重啊，还有几颗药丸，难受的时候就服下。"

　　伏羲不停地吹着，埙的旋律变得更加凄惨而悲怆。

　　他吹不下去了，放下埙来，呆呆地看着湖水，泪流满面。

　　湖面上又幻化出女儿的身影，朝自己走来。宓妃从怀中掏出一颗五彩的鹅卵石，流泪说道："爹爹，上次补天时，女儿临走时在河里捡了这颗鹅卵石，一直带在身边。女儿出去的这几日，如果你想念女儿，就看看这鹅卵石，就好似女儿在你身边一样。"

　　伏羲从怀里掏出鹅卵石，含泪看着，深情地抚摸着，神情极度悲伤……

　　林中传来凤凰凄厉的哀鸣……

　　茅屋内。白天。

伏羲病情加重，昏迷不醒。

茅屋内挤满了人，众人在一旁默默地流泪。

黄龙氏坐在伏羲身边，含泪看着病危中的父亲。突然，他耳边响起药仙的声音："这颗药丸极为珍贵，很难炼制，不到万不得已，不要给你爹爹服用！"

他急忙从伏羲的枕头边拿出那颗红色的药丸，旁边的一个孙女赶紧端来一碗水。

黄龙氏将药丸塞进伏羲嘴里，用水给伏羲服下。

不一会儿，伏羲醒了过来。他悲痛地看着黄龙氏和众人，缓缓说道："孩子们，我没事的，你们都回去吧！"

众人不肯离去。

黄龙氏对众人说道："你们都回去吧，让爷爷好好歇息。"

众人这才不情愿地抹着眼泪离去。

黄龙氏抓着伏羲的手，含泪说道："爹爹，你好些了吗？"

伏羲微微点了点头，他对黄龙氏说道："爹爹来日不多了，你速去将天下各部落的首领召来宛丘，我有重要的事情要跟他们交待！"

黄龙氏悲痛地点了点头，"爹，我这就去！"

伏羲："孩子，你别难过了，骑着麒麟快去吧！"

黄龙氏默默地起身，朝屋外走去。

茅屋外。

麒麟驮着黄龙氏腾空远去……

茅屋内。

伏羲日益消瘦下去，形容枯槁。

他对服侍他的孙女说道："你们扶我到外面走走。"

几个孙女从石床上扶起伏羲，慢慢朝屋外走去。

伏羲对她们说道："你们就在家里吧，我一个人在湖边走走。"

几个孙女知道伏羲的心思，不忍打扰，点了点头，"爷爷，你小心一些啊！"

伏羲微笑道："孩子们，你们不要为爷爷担心，爷爷不会有事的！"说着，一个人朝湖边慢慢走去。

伏羲在湖边漫步着，他的眼前浮现出和女娲、宓妃在湖边欢乐的情景，泪水模糊了他的双眼。

伏羲又来到牡丹花丛旁边，轻轻地抚摸着鲜艳的花瓣。

牡丹花不停地摇晃着，仿佛在向伏羲问候。

伏羲坐在牡丹花丛旁，从怀里掏出鹅卵石和补天石。

鹅卵石浮现出宓妃甜甜的笑容。

补天石映现出女娲深情的目光。

伏羲含泪对补天石说道："妹妹，我很快就要见到你了！"

伏羲含泪又对鹅卵石悲痛地说道："女儿啊，我的好女儿，爹爹对不住你啊！"

灵霄宝殿。

玉皇大帝端坐在宝座上。

普度天神趋步上前，对玉皇大帝揖手，"启禀玉帝，始祖伏羲治理天下数十载，功绩卓著，如今阳寿快尽了。"

玉皇大帝点了点头，"伏羲治理天下，都有哪些功绩，说来听听。"

普度天神："伏羲为了治理好天下，苦心发明了用网渔猎，驯养野兽成为家畜；又发明了文字，教人们记事；制定了人类的

嫁娶制度，取缔了群婚乱婚之状；他还发明了陶器，用火煮食；继而又发明了埙、竹笛、笙、箫、琴、瑟等一些乐器。"

玉皇大帝点着头，"伏羲还真是花了不少的心血！"

普度天神："他的功绩还不止这些，他还发明了八卦，创制了历法！"

玉皇大帝："哦？这八卦有何妙用？"

普度天神："有了这八卦，就能了解天地万物蕴藏的奥秘。"

玉皇大帝高兴地点头，"这伏羲不愧为一代人皇，为他的天下儿孙造福了！"

普度天神："伏羲还将洪水疏导入海，又将天下分而治之……"

玉皇大帝高兴地听着，不停地点着头，"伏羲办了这么多件大事，功不可没，是该召他回天庭了！"

普度天神："还有一事禀明玉帝。"

玉皇大帝："何事？"

普度天神："伏羲之女宓妃为救伏羲，去洛河寻找还魂草，被河伯所害，掉入洛河溺死，请玉帝明示。"

玉皇大帝大为感动，"难得这样的孝女，就封她做洛河女神吧！"

普度天神点头，"是！"

宛丘湖畔。茅屋内。

伏羲奄奄一息地躺在石床上。

黄龙氏领着天下的部落首领们匆匆走了进来。

众首领见伏羲病入膏肓，悲痛地齐齐跪倒在伏羲的石床前，

大叫着："爹爹、爹爹——"痛哭失声。

伏羲慢慢睁开眼睛，见孩子们都来了，吃力地抬起手来，对他们招呼道："孩子们，你们都来了！"

众首领悲痛地点着头，"爹，我们都来了！"

伏羲："孩子们，你们不要难过，爹没事的！"

黄龙氏："爹爹，天下的儿孙们也全都看你来了！"

伏羲微笑着说："好，来了就好！"

黑龙氏伤心地说："爹爹，你不是说还要到成纪去吗？"

伏羲："是啊，爹爹多想再回一次成纪啊！可是，现在不行了……不行了！"说着，眼泪流了出来。

白龙氏流泪道："爹，你没事的！你一定还可以再去的！"

伏羲微笑地看着九个儿子，"孩子，爹爹就要去了，以后的天下就要靠你们了！"

九个儿子痛哭失声："爹——"

伏羲吃力地说道："孩子们，你们将我扶到外面去吧，我想再看看宛丘，看看我的儿孙们。"

九个儿子忍着泪，心情无比沉重地抬着伏羲，朝屋外走去。

茅屋外。

闻讯赶来的天下的儿孙们黑压压地站满了湖边宽阔的草地。

众人都默默地流着泪。

九个儿子抬着伏羲，来到一个高坡上，扶着伏羲坐下。

伏羲环顾着黑压压的人群，慈爱地微笑着。他开始回光返照，只见他站了起来，大声说道："孩子们，你们都是我龙的子孙，天下的大业，就落在你们的身上了。"

众人神情凝重地听着。

伏羲继续说道："自从繁衍人类以来，我们华族的人越来越多了，要想将这天下治理好，必须要分而治之。宛丘是中心地带，也是中央之地，日后决定大事，均要在这里商议。"

说着，他大声唤道："黄龙氏！"

黄龙氏出列："在！"

伏羲："我命你掌管天下，共创龙的大业！"

黄龙氏激动地说："是！"

伏羲："白龙氏！"

白龙氏："儿在！"

伏羲："我命你掌管天下的土地和子孙居住的屋舍！"

白龙氏："是！"

伏羲："赤龙氏！"

赤龙氏："在！"

伏羲："我命你制作甲历！"

赤龙氏："爹爹，何为甲历？"

伏羲："这甲历用于纪年、纪月、纪时。由天干地支对应相配而纪。天干是甲、乙、丙、丁、戊、己、庚、辛、壬、癸。地支是子、丑、寅、卯、辰、巳、午、未、申、酉、戌、亥。运用天干地支对应相配，纪年、纪月、纪时，如甲配子，就是甲子年；乙配丑，就是乙丑年，以下是丙寅年、丁卯年等等，这样周而复始，天下的年、月、时、辰也就清楚了。"

赤龙氏点头，"爹爹，我记下了！"

伏羲又唤道："黑龙氏！"

黑龙氏："在！"

伏羲："我命你惩治世间的一切邪恶！"

黑龙氏："是！"

伏羲："青龙氏！"

青龙氏："在！"

伏羲："我命你掌管天下的河流，疏通河道，防止洪水泛滥。"

青龙氏："是！"

伏羲："四夷部落首领！"

四夷首领站出来，"孩儿在！"

伏羲："东夷首领管春的万物复苏；西夷首领管夏的草木生长；南夷首领管秋的果物成熟；北夷首领管冬的冰雪严寒。你们四人要仔细观察天象，探寻一年四季的奥秘。"

四夷首领齐声答道："是！"

伏羲威严地扫视着眼前的众儿孙，大声说道："孩子们，天下之事就按我刚才安排的去做，大家都要服从，你们听见了吗？"

众人齐声应道："听见了！"

伏羲大声地说："天下的儿孙们都是我龙的子孙，你们一定要将龙的基业治理好，为天下的儿孙造福！"

众人兴奋地高呼起来："好！好！好！……"

伏羲微笑地看着众人，突然，他支持不住，摇摇晃晃，朝后倒去。

众人大声惊呼："爷爷、爷爷——"

九个儿子急忙扶住伏羲，将他缓缓地放在高台上，急急呼唤着："爹爹、爹爹——"

伏羲缓缓地睁开眼睛，看着儿子们，颤抖着的手从怀里掏出八卦图。

黄龙氏含泪庄重地接过。

伏羲微笑着，断断续续地说道："这八卦图……你们……好好去……参悟吧！"说着，慢慢合上了双眼。

众人悲痛欲绝地大声哭喊着："爹爹、爹爹——""爷爷、爷爷……"

一只布谷鸟从远处疾飞而来，一路凄惨地鸣叫着"布谷、布谷——"，声声滴血。

布谷鸟在伏羲的头顶凄厉地鸣叫着，不停地盘旋着，盘旋着……

晴朗的天空，突然间天昏地暗，狂风大作，乌云翻滚。

一阵阵惊雷炸响，一道道闪电划破长空，直射高台。

黑压压的人群全都跪倒在地，哭声震天。

伏羲突然变化成一条金色的巨龙，腾空而起。

金色的巨龙在众人的头顶上空不停地盘旋着，眼中掉下两颗豆大的泪珠……

雷鸣伴着闪电阵阵炸响。

狂风卷起树叶，漫天飞舞，大雨倾盆而下……

又一道耀眼的闪电在人们头顶掠过。

从高远的天空又飞奔来另一条金色的巨龙，

伏羲化作的巨龙朝那条巨龙奔去，那是女娲来迎接他了。

两条巨龙相遇，在人们的头顶盘旋着。

众人跪在地上，流泪磕拜着。

天突然又放亮了。

风息了，雨住了，太阳出来了，天边飞架起一条彩虹，闪烁着五彩缤纷的光芒。

两条金色的巨龙在空中盘旋着，久久不忍离去。

众人哭声震天。

突然，空中飞来一片祥云，紫雾交呈中，伏羲慈祥地端坐在祥云上。他腰围金色的虎皮，肩披碧绿的树叶，黑色的长发披在肩头，赤足裸腹，双手托着金光闪闪的八卦，双目炯炯地看着跪在地上的儿孙们……

黑压压的人群眼含热泪，虔诚地向伏羲跪拜着……

伏魔济世
开天辟地

两条巨龙流泪盘旋着，缓缓向高空飞去。

麒麟和凤凰哀鸣着飞向高空，朝两条巨龙飞奔而去，消失在天际……

突然，空中飞来一片祥云，紫雾交呈中，伏羲慈祥地端坐在祥云上。他腰围金色的虎皮，肩披碧绿的树叶，黑色的长发披在肩头，赤足裸腹，双手托着金光闪闪的八卦，双目炯炯地看着跪在地上的儿孙们……

黑压压的人群眼含热泪，虔诚地向伏羲跪拜着……

后记

在二十一世纪的今天，海内外华人寻根祭祖已成热潮。每年的正月十五伏羲生日和五月十三伏羲文化节的祭祖活动盛况空前，充分展示了伏羲文化亘古不变的魅力。

我的一位来自"羲皇故里"的朋友，她对我说，写写伏羲和女娲吧，他们是人类文明的始祖！他们的功绩被炎黄子孙世代传颂，却没有一部长篇小说和一部电视剧描写他们。她的话令我震惊，也令我深思。的确，伏羲八卦、女娲补天、泥土造人……这些动人的故事，在民间广为流传，而他们兄妹给人类做出的其他巨大贡献以及他们凄美动人的爱情故事，又有多少人知道呢？

朋友的话使我心情激荡，浮想联翩！将洪荒年代尘封的历史再现在读者和观众面前，这是一名作家义不容辞的责任。写伏羲和女娲，这个灵光在我脑海里一闪，我产生了一种创作的冲动。手头刚刚完成三十集电视连续剧《争霸上海滩》，按合同交给制片方后，我开始查阅大量伏羲和女娲的资料。我想，如果能以书和电视剧的形式，给广大读者和观众展现洪荒年代，人文始祖在那艰难困苦的岁月中，与自然抗争，向命运挑战的一幕幕惊心动魄的画面，那该有多好！怀着这种激情和冲动，我开始了构思和创作……

然而，这段历史资料匮乏，典籍、史料零碎，且众说纷纭，要想写好，的确不易。这部作品的问世，特别要感谢我的挚爱张群，她为此付出了大量辛勤的劳动。她的父母张正海、武玉琴也给予了鼎力相助。在此致以深深的谢意！

小说和剧本完稿后，得到了甘肃省天水市市委市政府的高度重视。杜松奇副书记和天水市政协主席王志荣代表市委市政府市政协大力支持将其搬上荧屏。在此，诚挚感谢天水市市委市政府市政协领导对该剧的重视和支持。

广西人民出版社副总编辑彭庆国先生，广州市朝扬图书有限公司邬锦雯董事长、吴丹杨总经理为本书出版付出了大量心血，给予了全力支持！让我感铭肺腑。

同时，我还真诚地感谢广州市新闻出版局和广播电视局、广州市版权局刘青云书记、任天华处长、江南处长、广州红高粱影视公司王和忠总经理，他们为剧本的报批和立项给予了无私相助。

感谢我的友人琼瑶、陈道明、卢奇、巩汉林、刘欢、宋祖英、林心如等影视界朋友给予我的热情鼓励和支持。

特别感谢本剧出品人香港松神国际投资企业发展公司吴清水董事长、广州上志国际商务有限公司谢归帆董事长、中国海

248

峡两岸青少年文化教育交流中心张永良主任，他们为本剧出品给予了鼎力支持。

在此，我还要感谢热情帮助的潘瑞雄书记、贾斌会长、龚俊杰、张海峰、刘智宏、罗永前、王耀、李洁、杨冰、郑洁、曦若、彭鹤、丛迈、吴独标、朱业晋、施乃康、董国华、梁海华、张菲菲、罗福丽、叶涛、张艳、黄锦琦、王慧玲、龚桦、辜秋庚、张帆、沈秋延、谭宝琼、郝磊等亲朋好友。谢谢你们！

龚智勇

2005 年 5 月 25 日凌晨于广州寓所静兰斋

岁月从历史长河中走过

30集大型电视连续剧《开天辟地》主题歌　龚智勇 词

岁月从历史长河中走过，留下了多少美丽的传说，女娲补天千古传颂，一把黄泥塑造了你和我。经历生死存亡饥寒交迫，经历刀光剑影悲欢离合，华夏儿女战天斗地斩妖除魔，每一寸土地不容分割! 啊，磨难中站起一个不倒的民族，万众一心踏平坎坷!

岁月从山川大地上走过，留下了多少动人的传说，伏羲八卦千古流传，开启文明造福了你和我。经历风云变幻潮起潮落，经历兴衰成败坎坷曲折，龙的传人发明创造苦苦探索，历尽艰难也不退缩! 啊，东方崛起一个伟大的民族，巨龙腾飞气壮山河!

华夏儿女血脉相连

30集大型电视连续剧《开天辟地》插曲　龚智勇 词

云也缠绵水也缠绵，兄妹情深梦绕魂牵。河畔结发成为夫妻，滚磨成婚终于有缘。繁衍人类开创文明，补天美名千古流传。啊，无论岁月怎么改变，龙的精神代代相传。

爱也千年梦也千年，华夏儿女志存高远。多少苦难多少坎坷，勇敢走过不惧艰险。岁月总在无情改变，永远不变的是赤子情怀。啊，无论走到天涯海角，华夏儿女血脉相连。

给未来讲述走过的从前

30集大型电视连续剧《开天辟地》片尾歌　龚智勇 词

所有的时间都在改变，给历史留下精彩的悬念。起落沉浮记载着难忘的过去，恩怨情仇都已随风飘散。消失的岁月不再重现，好好珍惜每一个今天，历史承受了太多的苦难，啊，太多的苦难，希望和未来就扛在我们的双肩。

所有的角色都在上演，给未来讲述走过的从前。美丑善恶映射出各自的灵魂，千古兴亡留下了多少悲欢。远去的岁月不再重现，紧紧把握每一个今天，华夏民族承受了太多的苦难，啊，太多的苦难，希望和未来就扛在我们的双肩。